Bébé pratique

Dr Thierry Marck

Bébé pratique
L'essentiel pour vivre
ses 12 premiers mois avec sérénité

MARABOUT

Avant propos

Aborder les sujets prioritaires de cette période «bébé», celle des douze premiers mois; en parler avec un langage naturel, «démédicalisé» au possible, parce qu'un bébé ce n'est pas une maladie; et qu'être parent cela doit rester de la joie et de la simplicité… Telle est l'ambition, modeste mais réelle de ce livre.

Il s'agit donc d'un livre sur les bébés. Parce qu'ils ont tous, au début, les mêmes besoins, les mêmes envies, les mêmes bobos, les mêmes maladies. Qu'ils nécessitent les mêmes soins, les mêmes attentions, la même surveillance. Et qu'il faut donc savoir au mieux comment les nourrir, les soigner, les protéger…

Mais ce livre concerne aussi votre bébé.
Parce qu'évidemment… il est unique, ce bébé! Il est le vôtre.
Et vous serez sa seule référence pour longtemps, très longtemps…
Dans cette histoire d'amour qui commence, vous allez devoir choisir, faire le tri entre ce que vous avez lu, ou pas, les avis de la famille, les influences des amies. Faire la part des choses entre les conseils multiples et variés qui, vous allez voir, ne manqueront pas. Et comme tous ces avis vont venir vers vous en ordre dispersé et souvent en totale contradiction les uns avec les autres, il faut bien essayer de s'y retrouver!
C'est pourquoi je me suis efforcé, à travers plusieurs chapitres clés:

1. De donner des réponses claires aux préoccupations basiques, ordinaires, systématiques et obligatoires que toute mère a, ou aura, envers son enfant pendant cette «période bébé».
2. De conseiller de manière pratique et simple.
3. De faire connaître, par anticipation, les petits problèmes qui risquent de survenir et les moyens de les traiter ou de les éviter.
4. De mettre en garde la mère contre telle ou telle erreur de comportement vis-à-vis de son enfant, source possible de conflit futur ou de dysharmonie familiale.

Le but recherché, ce n'est pas de discourir, mais de donner des points de repères.

Que les mamans me pardonnent si je parle souvent de leur enfant au masculin, mais leur petite fille, qu'on le veuille ou non, reste «un» bébé.
Pardon aussi aux pères… Il est tellement question de la mère qu'ils ne sont pas beaucoup évoqués ici en tant qu'entité particulière.
Mais bien sûr vous êtes là! Attentifs, discrets, protecteurs, émus.
Frustrés aussi parce que vous ne pouvez ni accoucher ni allaiter.
Mais vous allez vite vous rattraper… Autrement!

En tout cas chers parents, vous allez voir…
Un bébé ce n'est pas si compliqué que ça!

Thierry Marck

Le séjour « express » en maternité

Le séjour en maternité est devenu de plus en plus court! Un avantage pour la maman? Pour le bébé?

En une quinzaine d'années, le séjour du couple mère-enfant est passé en France de 5 à 6 jours en moyenne à 3 à 4 jours. Et la tendance au raccourcissement se poursuit. Des mères sont incitées à quitter la maternité au bout de 48 heures…! Sauf césarienne, évidemment. Cette évolution à l'occidentale est irréversible: aux États-Unis, le séjour moyen est de 24 heures; au Québec, les femmes ayant accouché en maison de naissance, repartent chez elles au bout de… 3 heures!

Pourquoi cette évolution?

Ce sont des raisons de bonne gestion médicale qui ont poussé les gouvernements à fermer les petites structures d'accouchement, considérées à risque, pour regrouper toute la médecine de la naissance dans de grands pôles médicaux «techniques» et sûrs. Du fait de cette concentration, il y a «encombrement» de femmes enceintes dans ces grandes maternités devenues le passage obligé. On est passé de la maternité de proximité à «l'usine à bébés».

Rajoutons un zest de productivité imposée et une natalité florissante, et nous en arrivons à l'obligation d'une diminution du temps de séjour des accouchées. On assure la sécurité en médicalisant, mais le séjour des nouvelles mères est obligatoirement raccourci pour éponger le flot des femmes enceintes qui frappent à la porte. Si les mamans sont heureuses de pouvoir vite rentrer chez elles, elles partent un peu frustrées de la maternité, tout n'ayant pas été réglé, et de loin. Tant au niveau de leur état médical, qu'au niveau des conseils reçus concernant l'allaitement et leur bébé.

Les conséquences pour la mère

Si leur état médical est jugé bon, elles peuvent sortir, mais… à elles de se «débrouiller» pour régler les «petits soucis»: saignements persistants, douleurs cicatricielles d'une épisiotomie, points à enlever. Quant à s'occuper de leur état moral et psychologique, on n'a pas eu le temps…

Certes une sage-femme libérale de secteur pourra passer les voir à leur domicile, en cas d'accouchement difficile, de césarienne ou de sortie précoce dans les 48 heures, mais selon sa disponibilité…

Pour celles qui sont mamans pour la première fois et qui veulent allaiter, les conseils d'allaitement sont très aléatoires, dépendant de l'implication du personnel. Le temps de celui-ci étant limité pour expliquer les bonnes positions d'allaitement, le rythme et la durée des tétées, vérifier une montée de lait (qui progresse en 72 heures), empêcher ou traiter une crevasse du sein débutante, un engorgement, etc.

Pourtant, la jeune accouchée, dans les premiers jours de sa nouvelle vie, a besoin d'être cocoonée, entourée et rassurée. L'on doit l'aider dans l'organisation du lien à son enfant; l'on doit savoir dépister des défaillances psychologiques, une tristesse, un épuisement. Tout cela nécessite disponibilité et temps…

Et l'on devrait surtout ne pas donner des réponses différentes, voire opposées, aux questions légitimes que la jeune maman pose aux différents acteurs de santé. Rien de plus déboussolant que de ne plus savoir à qui se fier... Un tel m'a dit de réveiller mon bébé au bout de 3 heures, un autre que je le mettais au sein trop souvent, un tel encore que la tétine serait idéale vu son «grand besoin de succion», un tel enfin que peut-être faudrait-il donner un complément au biberon en attendant la montée de lait... Tout est différent selon la personne questionnée à tel ou tel moment, selon sa spécialité : pédiatre sage-femme, puéricultrice, et selon la maternité elle-même.

Les conséquences pour le bébé

Rares sont désormais les nouveau-nés qui sortent de la maternité en ayant repris leur poids de naissance. Puisque cela demande 5 jours en moyenne. On conseillera donc aux parents, surtout en cas de petit poids de naissance, entre 2,5 et 3 kg, soit de revenir à la maternité, soit d'aller à la PMI pour vérifier le bon profil de la courbe de poids.

Pour les mamans qui ont décidé d'allaiter, un complément de lait à donner au bébé par biberon (avec le lait industriel sponsorisé du mois) leur sera encore trop souvent proposé. Pour rassurer la mère ? Très souvent pour rassurer le personnel de la maternité qui pourra noter que la courbe de poids remonte et donner le feu vert pour le départ. Tout en sachant que donner un biberon va à l'encontre des recommandations énoncées pour amorcer justement un bon allaitement. On est encore très loin des préceptes québécois refusant la présence de tout biberon en maternité !

Les pleurs du bébé n'ont plus le temps d'être correctement analysés et expliqués : faim ? douleurs de reflux ? Fameuses coliques ? Une certaine facilité sera de proposer à la mère une «tétine» à donner au bébé, voire de l'installer derechef en vue de combler un soi-disant «besoin de succion» particulièrement important…

Le rôle des sages-femmes

La profession de sage-femme fait partie des professions médicales. Et, en France, la sage-femme a un rôle absolument fondamental. C'est le pilier de l'obstétrique, l'intervenant majeur, la référence absolue. Personne ne peut le discuter.

Il n'y a pas si longtemps, la sage-femme s'occupait aussi bien de la mère que de l'enfant. C'était la pièce maîtresse du nouveau couple mère-enfant.

Est-ce encore le cas aujourd'hui? Pour de multiples raisons, son rôle auprès du nouveau-né s'est amoindri.

Parce que, aussi bien au sein de la structure hospitalière, qu'à l'extérieur, en travail libéral, son statut évolue vers une plus grande responsabilité d'ordre purement médical: surveillance de la grossesse, monitoring, accouchement, soins maternels de suite de couches, ordonnance de contraception, rééducation périnéale. Elles revendiquent d'ailleurs ce statut, souhaitant obtenir peu ou prou d'autres responsabilités dévolues à d'autres professions (kinésithérapeutes, gynécologues).

Le bébé dans tout ça ne voit plus rien venir! Il y a bien la visite du pédiatre, systématique, standardisée, avec prises de sang obligatoires, mais qui s'occupe réellement de lui tous les jours? Les sages-femmes sont débordées, les pédiatres rarement disponibles à temps plein, les puéricultrices peu souvent recrutées.

La nature ayant horreur du vide, d'autres professions s'engagent dans ce créneau laissé vacant dans l'aide à la mère et à son bébé. C'est ainsi que sont apparues les doulas. Soutenues et formées en grande partie par la Leche League, elles sont nombreuses aux

États-Unis, encore peu en France car elles n'ont pas de statut officiel ni de formation agréée. Mais l'avenir de ce nouveau type de «coach maternel» est assuré, car la protection, la préoccupation et le soutien de ce nouveau couple mère-enfant relèveront toujours autant de l'humain disponible que du médical pur.

L'ordonnance de sortie

Cette ordonnance de sortie de maternité, c'est comme le tampon d'un visa pour franchir la douane.

Ça y est, vous l'avez, vous pouvez sortir de la maternité et rentrer chez vous. Ce qui explique que l'ordonnance soit lue très vite ou pas du tout; on la lira plus tard, au calme, chez soi.

Que contient-elle?

Des vitamines à donner à l'enfant

Des produits de soins pour l'ombilic

Des conseils.

1. Les vitamines

Il y a deux sortes de vitamines prescrites:

▶ celles que l'on donnera tous les jours à l'enfant pendant de nombreux mois, c'est la vitamine D, donnée soit seule, par exemple, Uvestérol D® ou Adec® (une dose n° 1/jour), soit associée à du fluor, par exemple Fluostérol® ou Zymaduo® (4 gouttes/jour).

▶ Pour les enfants nourris au sein, il y aura en plus prescription de vitamines K1.

Pourquoi cette vitamine? Parce qu'il faut protéger l'enfant nourri au sein d'une possible maladie hémorragique du nouveau-né, le lait maternel pouvant créer un conflit enzymatique au niveau de la régulation hépatique de la coagulation. La vitamine K1 régule ce métabolisme de la coagulation. Elle se prescrit sous forme d'ampoules à donner à boire à l'enfant une fois par semaine.

Combien de temps donner la vitamine K1 ? Il est souvent marqué sur l'ordonnance : « pendant la durée de l'allaitement maternel ». En fait, cette phrase ne tient pas compte du désir de la mère d'allaiter son enfant pendant plusieurs mois, les médecins qui ont rédigé l'ordonnance (toute faite) anticipant sans doute sur une durée d'allaitement moyenne réduite en France à quelques semaines. Cette ordonnance ne serait sans doute pas la même si elle était donnée à une femme d'Europe du Nord, où l'allaitement dure souvent pendant un an : la vitamine K1 ne sera bien sûr pas donnée pendant un an.

La prise de vitamine K1 sera donc arrêtée au bout d'un mois et demi, même si vous continuez d'allaiter votre enfant au sein de manière exclusive. Si vous passez à l'allaitement mixte, en donnant un ou plusieurs biberons en plus des tétées, vous pouvez d'emblée arrêter cette vitamine K1.

2. Les produits de soins pour l'ombilic

Il s'agit d'antiseptiques destinés à éliminer un risque de macération infectieuse dans la région du cordon. Celui-ci est déjà en partie bien « sec » et dur. Avant qu'il ne tombe complètement et que la « croûte » ne se libère, il est important d'appliquer un antiseptique au niveau de la jonction anatomique située entre la base de ce cordon et le pourtour du futur ombilic.

L'antiseptique prescrit est à base de chlorhexidine : Diaseptyl® ou Biseptine®. L'alcool à 60° et l'éosine sont désormais abandonnés.

3. Les conseils

Le premier invite présenter le bébé à son médecin à 15 jours de vie et à le peser en PMI (protection maternelle infantile) pendant les premières semaines. N'ayez cependant pas de crainte : un enfant qui boit son lait va grossir. Mais vous verrez aussi l'importance que vous allez accorder à la tenue et l'observation de sa courbe de poids. C'est tellement rassurant et légitime !

D'autres conseils aussi concernent les doses de lait à donner si vous choisissez le biberon. Là, il faut surtout cultiver votre bon sens, ne pas prendre les doses prescrites présentées comme des références absolues. Ce ne sont que des moyennes en fonction d'un poids de naissance moyen.

Ces doses ne tiennent pas compte de l'individu unique qu'est votre enfant. On n'ordonne pas, on conseille !

Très vite, vous vous rendrez compte qu'il s'agit de proposer le lait en fonction des besoins de votre enfant, c'est « l'allaitement à la demande ».

Le retour à la maison

Le premier mois : un vrai big-bang !

Devenir mère, c'est entrer dans un état d'immersion mentale et physique «bébé» de tous les instants. On pense bébé, on vit bébé, on agit bébé, on dort bébé, on est devenu «complètement bébé! » C'est LE grand bonheur, la plénitude totale, la découverte étonnante de ses nouvelles capacités d'instinct et de protection ; c'est assister à la transformation de tout son être, désormais complètement tourné vers SON petit, son nouveau-né, son nouvel Amour.

L'attachement progresse jour après jour, il se fortifie par la satisfaction que la mère éprouve à combler les besoins de son enfant, à répondre à ses alertes puis à le voir satisfait calme et apaisé. Elle prend confiance en elle, devient LA mère, par ce lien voulu et recherché par l'enfant qui réclame SA mère. Un nouveau couple amoureux est né !

Mais… parce qu'il y a hélas toujours des mais, on se rend vite compte, dans la pratique quotidienne, combien c'est «prenant» un enfant !

Bien sûr on savait qu'un bébé, en plus de bouleverser une vie, sa vie, ça changeait finalement la vie ! Mais tout cela restait un peu théorique…

Il y a d'abord la fatigue, car bien sûr la mère est sur la brèche de jour comme de nuit. Il y a souvent les séquelles de l'accouchement : douleurs, cicatrices d'épisiotomie, hémorroïdes, tensions mammaires ou crevasses du mamelon.

Il y a les inquiétudes permanentes : respire-t-il bien quand il dort ? a-t-il assez bu ? grossit-il bien ? Il y a souvent quelques problèmes digestifs chez le bébé : renvois, pleurs, difficultés à boire. A-t-il mal, a-t-il faim encore ?

Il y a les amis et la famille qui, en téléphonant, vous réveillent juste au moment où enfin vous pouviez vous reposer… Il y a leurs avis et conseils… pour faire le rot, pour traiter des « coliques », pour coucher bébé, pour le nourrir…

Il y a le père qui doit trouver sa place. Et parfois dire à sa belle-mère qu'elle peut rentrer chez elle, qu'on lui donnera des nouvelles…

Il y a les tâches matérielles à gérer, malgré tout. Les visites à la PMI, chez le pédiatre.

Et trouver aussi le temps de s'occuper de soi ! De protéger et de récupérer son corps, d'éviter de trop se mettre debout, de trop porter, de commencer la rééducation périnéale.

Le baby blues

Sous ce nom on évoque un état dépressif survenant chez certaines femmes après l'accouchement.

Toute femme qui vient d'accoucher subit une « explosion » émotive et biologique qui retentit inévitablement sur son individualité. La crainte, l'épreuve, la douleur, la rupture brutale de l'équilibre hormonal antérieur, agissent sur son comportement. La femme devenue mère « patauge » un peu pendant quelques heures ou quelques jours. Elle est émotive, perdue pour de petites choses simples, inquiète brutalement de l'énormité de son nouveau statut social et affectif.

Chez certaines femmes, ce « blanc » transitoire où l'on reprend ses marques est plus important. La mère peut pleurer sans raison apparente, s'inquiéter, voire culpabiliser devant un manque « d'instinct » maternel qu'elle sentait pourtant en elle énormément.

Pas de panique ! Ce déficit affectif n'a rien d'anormal. Il faut savoir en parler à la sage-femme, au médecin, au père. En tout cas il faut se faire aider.

Malheureusement notre société occidentale éclatée «moderniste» n'aide pas beaucoup la mère, contrairement à beaucoup d'autres civilisations qui délivrent complètement la maman de toute préoccupation matérielle, en la laissant se reposer, alitée pendant plusieurs semaines ! ne s'occupant alors que de nourrir son enfant. On peut rêver !

Pouce ou tétine ?

Question anodine ? Que non ! Cette « tétine », cette « sucette », cette « totote », a pris une telle dimension dans l'imagerie sociale du bébé, qu'elle fait aujourd'hui presque partie intégrante de la liste des objets obligatoires de puériculture. 50 à 80 % des bébés de 1 à 6 mois ont une tétine ; 15 % dès la sortie de maternité ; et 2,5 % dès le 1er jour de la vie !

Certains parents iront donc acheter la tétine en même temps que les couches, le lait et les biberons… sans se poser la moindre question et la donneront rapidement à leur bébé.

D'autres parents l'achèteront également, au cas ou… Pour ne pas être pris au dépourvu. Et finalement… la proposeront pour voir ce que ça donne.

Et puis il y a les pour, il y a les contre, les plutôt tétine, les plutôt pouce. Tous les parents étant par contre bien d'accord pour reconnaître que leur bébé, comme tous ses copains du même âge, a un besoin prioritaire, celui de combler une satisfaction orale impérieuse.

À ce stade initial de la vie, en effet, la majorité des modes de reconnaissance du monde environnant passent par la bouche. Parmi les cinq sens, tous ne sont pas au point. Certes, le bébé sent les odeurs (surtout celle de sa mère) certes il entend des bruits ; par contre il ne voit les choses que de manière partielle, et bien sûr il ne peut pas toucher avec les mains – enfin, pas tout de suite… À son secours : la bouche ! Organe fondamental et prioritaire – avec les cordes vocales ! –, qui lui permet à la fois de survivre en buvant le lait, de goûter, de reconnaître, et de prendre plaisir.

Les mères qui choisissent la tétine

Ce sont souvent les mères qui viennent d'avoir leur premier enfant. Leurs arguments : «On ne va pas passer à côté d'un confort possible pour l'enfant. Il ne sait pas encore trouver son pouce, alors qu'il a besoin de tétouiller… et qu'il aime ça ! Il s'endort plus facilement. Et puis quand il n'en veut plus, il s'en sépare. Cela déforme moins les dents… Et je ne veux pas qu'il suce son pouce comme moi jusqu'à 30 ans !»

Les mères qui choisissent le pouce

Ou en tout cas refusent de proposer d'emblée la tétine. Ces mères ont souvent déjà eu un ou plusieurs enfants… Leurs arguments : «Le pouce, c'est naturel ! C'était déjà son pouce qu'il suçait dans mon ventre et non pas un bout de caoutchouc. Il met déjà la main à la bouche et va finir par le trouver. La tétine, c'est sale, ça tombe, il faut la nettoyer. Son pouce, il ne risque pas de le perdre ; c'est à lui de choisir ou non de le mettre à sa bouche, et non pas à moi d'être une "mère sucette". De toutes façons je suis contre la tétine, car j'ai donné avec le premier – surtout la nuit… »

Qui a raison ?

C'est vous qui aurez raison de faire ce qu'il vous semble juste de faire. Simplement, vous agirez d'autant mieux que vous en saurez plus sur ces quelques données réalistes qui vont suivre.

Quelques vérités pour vous aider…

1. Si bébé a reçu très tôt une « tétine », il lui sera ensuite très difficile de s'en séparer. Il deviendra très vite accro à cet appendice buccal, de jour comme de nuit… avec pour les parents des conséquences parfois douloureuses pour leur repos nocturne.

2. Le pouce ne déforme pas plus les dents que la sucette ! C'est même plutôt le contraire ! Si votre enfant suce longtemps le pouce ou la sucette, son arcade dentaire supérieure sera de toute façon projetée en avant. Mais pour le tétouilleur invétéré de sucette, il y aura en outre un bel espace entre les incisives inférieures et supérieures. Et qu'il suce le pouce ou la sucette pendant plusieurs années, votre enfant aura sans doute droit plus tard à ces belles bagues argentées qui fleurissent à partir de onze ans dans la bouche de nos collégiens. Pas de panique, vous avez le temps !
Et mieux vaut porter un appareil dentaire mais être bien dans sa tête… parce que l'on a tétouillé allègrement pendant son enfance.

3. Si la bouche de votre bébé est « occupée » par une tétine, il ne risque pas de trouver son pouce ! Vous aurez donc choisi pour lui ! Car il y aura peu de chances d'assister à un retour en arrière. Une fois que la tétine est goûtée, elle est adoptée… *ad vitam bébéam* ! Et il faut bien avouer que ce n'est pas forcément la mère qui se précipite en premier pour lui caoutchouter la bouche. Certaines maternités conseillent encore la tétine pour arrêter les pleurs !?? Lorsque ce n'est pas la nuit, en cachette, sans prendre l'avis de la mère, qu'un membre du personnel placera discrètement une tétine de biberon bouchée par du coton… pour faire cesser les pleurs d'un bébé. Ce bébé qui a eu le tort de réclamer à boire à l'heure où le service « biberon de nuit » n'avait pas encore sonné.

Sachez aussi qu'il n'est pas du tout inquiétant ni anormal qu'un bébé qui n'a pas reçu la sucette, ne choisisse pas non plus de prendre son pouce. Il s'investira dans un niveau sensuel différent : Par exemple un « doudou » qui chatouillera délicieusement son nez, son visage et qu'il pourra même mettre à la bouche… Est ce mieux ? Est-ce moins bien ? En tout cas ce sera « son » truc.

Et nos scientifiques, qu'en disent-ils ?

De nombreuses études sur le sujet commencent à voir le jour, démontrant bien que le débat : « sucette or not sucette » a pris une dimension universelle. Que disent donc les observateurs de la mondialisation de la tétine ? Voici l'état de leurs conclusions.

En défaveur

◗ L'usage de la tétine est mauvais pour l'allaitement maternel. Reprenant les conclusions d'une étude brésilienne sur le sujet, l'OMS (Organisation mondiale de la santé), dans les dix conseils qu'elle émet pour favoriser l'allaitement maternel, en est arrivée à conseiller d'éviter l'usage de la sucette. Sans doute parce qu'un enfant qui passe son temps à téter une tototte aura moins d'énergie pour téter sa mère… avec pour conséquence une moindre production de lait.

◗ L'usage de la tétine est associé à une fréquence des otites qui est doublée par rapport au groupe observé sans tétine (étude américaine). Pour d'autres, la proportion n'est que de un quart d'otites supplémentaires chez les tétineux (étude finlandaise).

◗ En règle générale, il existe une relation entre tétine et plus grande fréquence de pathologies mineures : vomissements, fièvre, rhinopharyngites (d'après une étude anglaise portant sur 11 000 enfants).

▶ Quant aux études sur la dentition, elles confirment bien la responsabilité au moins égale de la sucette par rapport au pouce.

En faveur

▶ Chez le prématuré, la tétine facilite l'acquisition du réflexe de succion.

▶ Intérêt bien démontré de la tétine : son rôle analgésique, le score de la douleur s'abaissant nettement lorsque l'on associe tétine et prise de sucre (glucose ou saccharose).

Le père, lui, très fatigué de sa journée de travail... dort du sommeil du juste ! Car il faut bien admettre que le pourcentage de pères qui se lèveront la nuit pour participer au scénario de la pièce est très réduit. Beaucoup ont en effet en commun une acuité auditive bizarrement quasi nulle... au niveau de la fréquence sonore des bruits émis par un bébé la nuit !

La possibilité d'un scénario catastrophe

Dans certains cas imprévisibles, la sucette va devenir une véritable drogue pour bébé, avec l'adieu au sommeil pour les parents. Enfin... surtout pour la mère ! Ce scénario se déroule en plusieurs actes. Si parfois il est possible de le stopper en temps voulu et d'éviter qu'il n'atteigne son stade ultime, il faut bien savoir qu'il est très difficile de rompre le cercle vicieux quand il est installé.

Acteurs principaux : bébé et sa mère.
Lieu de l'action : les chambres des parents et du bébé.
Moment de l'action : la soirée et la nuit.
Costumes : bébé en grenouillère a, la mère en chemise de nuit.
Accessoire principal : la sucette.

Bruitage naturel : les pleurs du bébé et le père qui ronfle…

Acte 1 : Bébé s'endort le soir avec la sucette.

Acte 2 : Bébé qui «faisait toutes ses nuits» se réveille maintenant plusieurs fois. Et à chaque fois la mère lui remet la sucette pour le calmer et le rendormir.

Acte 3 : Progressivement, mais sûrement, bébé en est arrivé maintenant à se réveiller et à pleurer 5 à 10 fois chaque nuit. Et à chaque fois, il faut se lever, marcher en titubant jusqu'à sa chambre et lui remettre pour la nième fois la sucette dans la bouche.

Le père, lui, très fatigué de sa journée de travail… dort du sommeil du juste ! Car il faut bien admettre que le pourcentage de pères qui se lèveront la nuit pour participer au scénario de la pièce est très réduit. Beaucoup ont en effet en commun une acuité auditive bizarrement quasi nulle… au niveau de la fréquence sonore des bruits émis par un bébé la nuit !

Acte 4 : la mère est épuisée. Elle a perdu tout espoir de passer une nuit tranquille. Voulant essayer malgré tout d'y parvenir ou tout du moins de se lever moins souvent, elle a investi dans une vingtaine de sucettes qu'elle a réparties dans le lit, qu'elle a accrochées au doudou ou sur la brassière du bébé pour qu'il puisse parfois trouver lui-même, à tâtons, l'objet tant convoité. Et ne lâche plus en pleine nuit ses décibels de désespoir.

La mère est résignée… Et se jure que pour le «deuxième», on ne l'y reprendra plus !

En attendant, pour cet affreux jojo rendu accro de la tétine, elle place ses espoirs dans la future technologie des sucettes : une tétine lumineuse pour le repérage nocturne ! Ou pourquoi pas, au point où l'on est, une tétine prothèse que l'on pourrait accrocher… au pouce ?

Ce scénario, s'il peut prêter à rire tant que l'on n'est pas concerné, devient nettement moins risible quand on est plongé dedans.
Tout le monde est malheureux. La mère est fatiguée, déprimée. Bébé a un très mauvais sommeil – c'est le moins qu'on puisse dire… La famille est « à cran ».
S'il n'est pas certain, bien sûr, qu'un tel scénario se produise chaque fois, personne ne peut prédire à l'avance comment un enfant « s'accrochera » à la tétine. Mieux vaut donc agir avec une certaine prudence…

Quelques conseils pour ne pas en arriver là…

1. Laissez à votre bébé le temps de trouver son pouce tout seul. S'il en a envie…

2. À la maternité : refusez que l'on donne une sucette à votre bébé. Notamment s'il pleure la nuit dans la pouponnière quand ce n'est pas « l'heure du biberon ». Demandez que l'on vous l'amène dans votre chambre, prenez-le dans vos bras, calmez-le, parlez-lui, caressez-le, et s'il a faim donnez-lui le sein ou demandez un biberon. Quand il est calmé, mettez-le dans son lit, continuez à lui parler et à le toucher jusqu'à ce qu'il s'endorme complètement.

3. À la maison : ne cédez pas aux conseils de l'entourage. Surtout, **ne cédez pas à votre propre angoisse.** Apprenez à communiquer avec bébé, à connaître ses besoins, à le rassurer, à le nourrir bien sûr s'il a faim, et ne vous précipitez pas vers le « bouchon anti-bruit ».
4. Et si vous avez cédé malgré tout, évitez de lui donner la sucette le soir quand il s'endort pour la nuit.

Le lait, la vie !

Boire le lait ! C'est le cœur des immédiates préoccupations ! Celles du bébé, qui ne vit et ne « pousse » que parce qu'il boit bien. Celles de la mère, qui met toute son énergie à bien nourrir son enfant.

Ce n'est donc pas surprenant que ce sujet de l'allaitement, au sein ou au biberon, soit encore celui de bien des inquiétudes et de questions. Avec, hélas, la persistance d'affirmations confuses ou contradictoires auxquelles il faut définitivement tordre le cou ! Vous allez voir, c'est finalement très simple. D'emblée, vous vous posez trois questions (surtout si c'est votre premier bébé) :

1. Quand faut-il lui donner à boire ?
2. Quelle quantité ?
3. Combien de temps dois-je attendre avant de redonner le sein ou le biberon ?

Pour certaines mères ce genre de questions peut paraître un peu farfelu. Car elles sont de celles qui cultivent… tout simplement le bon sens et agiront donc de manière très pragmatique.

Mais pour de nombreuses autres mamans, c'est tout le contraire. Elles veulent connaître les « règles » qui répondent à ces questions. Car elles savent, mais sans les connaître vraiment, que des règles existent.

L'instauration de ces règles pouvait sans doute se justifier il y a cinquante ans, lors de l'introduction sur le marché des laits premiers industriels. Quand le « modernisme » consistait alors à abandonner l'allaitement maternel au profit des laits concentrés puis en poudre. Aujourd'hui, le souvenir de ces directives demeure. Encore souvent ravivé par une médecine qui a parfois du mal à parler, à expliquer et qui préfère continuer dans ses habitudes « réglementaires ».

En définitive, il n'y a pas de « règles », seulement un seul et grand principe : **écouter son enfant**. C'est l'allaitement à la demande ! Il consiste à donner à boire à l'enfant :

▸ quand il le réclame ;
▸ la quantité qu'il veut ;
▸ selon son rythme de faim.

Et maintenant, voici quelques précisions sur ces trois points.

C'est bébé qui manifeste sa faim

D'abord par une phase silencieuse et gestuelle : il ouvre légèrement les yeux, il commence à remuer, à faire quelques petits bruits, puis à tourner la tête à gauche ou à droite, en espérant choper au passage un bout de sein ou la tétine d'un biberon.

Si rien ne vient, apparaît alors rapidement une phase de récrimination nettement plus bruyante. Traduite par des pleurs allant crescendo de plus en plus fort jusqu'au ouin-ouin répétitif et saccadé. Là, vous avez compris l'urgence de la situation. C'est bien la faim qui le tenaille ! Et si un doute subsistait, il est vite levé quand vous voyez la voracité avec laquelle votre bébé se jette sur le sein ou le biberon et se calme immédiatement.

Pleurer est la seule arme du jeune nourrisson pour assurer sa survie et réclamer à boire. En fait, il ne s'agit pas vraiment de pleurs comme l'exprime le langage usuel, car il n'y a pas forcément des larmes. Il s'agit plutôt d'un cri. Répété à l'identique, dont la fréquence vocale est volontairement douloureuse pour votre tympan – et ceux de l'entourage – et dont les décibels sont suffisamment élevés pour porter loin si jamais vous vous êtes éloignée…

Votre cerveau va très vite enregistrer la vocalise de faim de votre bébé. Et comme votre instinct maternel vous place dans un état d'alerte très aiguisé envers tout ce qui se rapporte à votre petit bout, vous allez très vite entendre et comprendre, à l'avenir, ses premières manifestations de faim. Vous agirez alors rapidement, sans attendre ses cris désespérés de frustration alimentaire.

Si vous ne pouvez pas, pour de multiples raisons répondre sur-le-champ à ses appels insistants (copine ou belle-mère au téléphone, baignoire qui déborde, rôti qui brûle…) les pleurs vont cesser. Car le bébé s'est épuisé. Pleurer, ça fatigue en effet beaucoup! Surtout quand on est un très petit bout. L'enfant s'est donc calmé. Mais ce n'est que le répit qu'il se donne pour reprendre des forces, et si vous n'allez pas le nourrir rapidement, il va vite se rappeler à vous, en hurlant à nouveau ses décibels d'espoirs déçus, mais tenaces, car vitaux.

C'est bébé qui décide de la quantité dont il a besoin

Si l'enfant est nourri au biberon

Vous vérifierez, quand votre bébé s'arrêtera de boire, qu'il reste un peu de lait au fond du biberon. C'est la seule règle pour être sûr qu'il a bien reçu la quantité qu'il souhaitait. Un reste de lait au fond du biberon nous indique que bébé est repu et a choisi de s'arrêter.

À la maternité, on vous propose des biberons liquides tout préparés. Pour vous les choses sont alors simples, puisque l'enfant, pendant ses premiers jours de vie, a moins besoin de lait que la quantité contenue dans ces biberons. Il y aura donc un reste.

Mais revenue chez vous, il n'y aura plus de biberon tout préparé jetable. Il vous faudra donc préparer les biberons avec du lait en poudre. Et la question sera : quelle dose lui donner ?

Très simple !

Vous avez pu voir quelle quantité prenait en moyenne votre enfant lors du dernier jour en maternité. S'il prenait environ 60 ml, vous préparerez des biberons de 90 ml. S'il prenait environ 90 ml, vous préparerez des biberons de 120 ml, etc. Avec ce système, vous êtes sûre de combler ses besoins car il y aura très certainement un reste au fond du biberon.

Par la suite, quand vous constaterez que bébé vide complètement ses biberons (ou presque) vous augmenterez sa dose.

LES RÈGLES DE PRÉPARATION DES BIBERONS

L'eau minérale est versée en premier dans le biberon jusqu'à la graduation choisie. Puis les mesures de lait sont introduites. Et pour toutes les marques de lait en poudre, une même proportion : *1 mesure de lait pour 30 ml d'eau* (donc 2 mesures de lait pour 60 ml d'eau, 3 mesures pour 90 ml, etc.).

Chaque fois que votre enfant boit en entier sa ration habituelle, vous augmenterez donc la ration de 30 ml d'eau + 1 mesure de lait.

Vous allez ainsi pouvoir accompagner les besoins de votre bébé, sans tenir compte de tout ce que vous verrez d'écrit sur les doses à donner aux bébés : « Telle dose à 1 semaine, telle dose à 15 jours, telle dose à 1 mois, etc.… » Qu'il s'agisse du « papier » qui vous a été remis par la maternité ou des « doses conseils » inscrites sur les boîtes de lait. Seul compte l'estomac de votre bébé. Lui seul sait ce dont il a besoin.

La plupart du temps, les doses conseillées ne sont que des moyennes, très souvent sous-évaluées. Elles ont le tort d'apparaître, de fait, comme une règle à respecter à la lettre (et aux chiffres) et de placer la mère en situation d'obéissance devant la «science».

Or il n'y a pas deux bébés identiques. Vous êtes bien placée pour savoir que le vôtre est unique! Chacun a donc ses propres besoins et il est donc complètement illogique de proposer les mêmes doses pour des bébés dont le poids de naissance est différent… Le bébé, né à 2,5 kg boira forcément moins que celui qui est né avec un poids de 4 kg. Et si l'on donne à celui de 4 kg les mêmes doses que son copain de 2 kg… bonjour la frustration et les pleurs!

Donc pas d'ordonnance «médico-lactée».

Car s'il est considéré comme parfaitement naturel qu'un enfant nourri au sein boive la quantité qu'il veut, la mère donnant son lait tant que l'enfant tète, pourquoi faudrait il raisonner différemment pour l'enfant qui boit au biberon? Un peu absurde non?

Il n'y a pas donc pas de «règles» dans les doses de lait à donner aux bébés «biberons». Il faut tout simplement respecter leurs besoins, leur donner à boire «leur» ration. Et il n'y a qu'eux pour la connaître. Et nous, les parents, pour la leur procurer.

Si votre enfant boit sa dose, il ne risque pas de devenir «trop gros»! Nous, les adultes, nous pouvons boire et manger plus qu'il ne faudrait parfois… selon les envies du moment qui nous font dépasser nos besoins. Le bébé, lui, beaucoup plus sain, s'arrêtera dès que ses besoins «volumétriques» seront satisfaits. Ce qu'il réclame est juste ce qu'il lui faut.

Si l'enfant est nourri au sein

La question de la quantité «normale» de lait maternel à donner par tétée ne se pose pas. Pour personne! Quand l'enfant s'arrête de téter, c'est qu'il n'a plus faim! Ce qu'il a pris était ce qu'il avait besoin de prendre, à ce moment-là.

Une fois ses besoins comblés, si le bébé continue de garder le mamelon dans la bouche, il ne «pompe» plus sa mère. Il tétouille, s'amuse, jouit du contact charnel mais ne se nourrit plus. Les mouvements qu'il peut faire n'écrasent plus le mamelon, n'aspirent plus le lait. Il entre dans un état de sensualité… repue. On peut dès lors l'écarter du sein ou… le laisser là quelques minutes, il est si bien! Mais attention aux crevasses pouvant survenir si le téton reste trop longtemps dans sa bouche.

Certaines mères, quelque peu envahies par cette rigidité médicale qui a instauré les doses-biberons, en arrivent parfois à s'inquiéter et à se demander si l'enfant a bien pris la ration «idéale». Elles aimeraient bien connaître, en termes de quantité, ce qu'a pris leur bébé. Ces mères ne seront sécurisées qu'après avoir pratiqué la double pesée de leur bébé. Avant et après la tétée pour connaître le nombre de grammes de lait reçu.

Cette inquiétude est parfaitement légitime et respectable, surtout dans les premiers jours de l'allaitement. Cette double pesée sera d'ailleurs parfois mise en œuvre en maternité, par la sage-femme ou le pédiatre. Pour vérifier que la montée de lait est bien arrivée et que l'enfant a suffisamment de matière première à disposition… Ou parce qu'un nouveau-né, de faible poids à la naissance, a du mal à bien téter; ou encore pour décider, si la ration bue est trop faible, d'instaurer un allaitement mixte temporaire.

Rentrée à la maison, si vous continuez à vouloir vérifier les prises de poids quotidiennes et les inscrire sur un feuillet spécial, vous pourrez louer un pèse-bébé en pharmacie pendant les premières semaines.

Bientôt vous serez rassurée en constatant que le volume des joues de votre enfant augmente à vue d'œil, et vous irez tranquillement rendre le pèse-bébé…

Le rythme de faim du bébé

Il s'agit en fait de répondre là à une seule question : existe-t-il un intervalle minimum de temps à respecter entre deux biberons ou entre deux tétées ? La réponse est non !

Vous allez entendre parler (si ce n'est déjà fait…) de ces fameuses 3 heures d'intervalle soi-disant à respecter entre deux prises de lait. Oubliez-les !

Là encore le corps médical a voulu instaurer des règles (il lui est très difficile d'abandonner ce péché mignon) et a fait perdre à tout le monde le simple bon sens.

Donc, encore une fois, il n'y a aucun délai impératif à respecter entre 2 prises de lait !

Et pourquoi ?

D'abord, parce qu'il n'y a aucune raison médicale qui devrait inciter l'organisme du bébé à se reposer obligatoirement pendant un délai fixé arbitrairement. Les notions de fatigue ou de repos de l'estomac, mises encore parfois en avant par certains, n'existent pas ! L'enfant peut recevoir exceptionnellement une alimentation lactée en continu 24 heures sur 24, comme cela est nécessaire dans certains cas, sans qu'il ne se passe quoique ce soit d'anormal.

Et puis surtout, tout simplement, parce que votre enfant n'est pas né avec un réveil dans le ventre… qui sonnerait à heure fixe ! Il a faim quand il a faim. Point ! Ces sacrées 3 heures ne sont qu'une moyenne.

Admettons que bébé ait bu à midi une bonne ration. Il se peut qu'il dorme donc 4 heures de suite avant d'avoir faim à nouveau. Doit-on le réveiller au bout de 3 heures? Bien sûr que non!

Admettons, à l'inverse, que ce même bébé, pour une raison qui ne regarde que son propre rythme biologique, n'ait eu qu'une petite faim et n'ait donc bu qu'une faible ration. Il risque alors d'avoir faim à nouveau plus rapidement et de réclamer peut-être au bout de 2 heures. Faut-il le laisser attendre encore un peu pour lui donner à boire? Et le laisser pleurer? Bien sûr que non là encore!

Si vous respectez les besoins de l'enfant, vous verrez que s'établira une moyenne d'intervalle entre deux prises de lait. Cette moyenne pouvant tourner autour de 3 heures, ou 2 h 30, ou 4 heures, c'est variable.

Tous ces bébés sont «normaux»! Ils ont leur particularité et leur programmation biologique propres qui les conduit à se régler de telle ou telle façon. Et ils n'ont pas du tout besoin d'une loi médicale qui irait contrer leur «nature».

Chaque bébé est donc bien particulier. Un prématuré ou un enfant de petit poids boira plus souvent de faibles quantités. Pour les bébés «costauds», ce sera plutôt l'inverse. Tous les pédiatres connaissent de ces bébés qui, bizarrement, se contenteront au bout de quelques semaines de 4 voire 3 prises de lait par jour… Ils vont très bien et grossissent parfaitement. C'est leur physiologie!

Allaitement à la demande ne veut pas dire laxisme, anarchie ou esclavage

S'il faut respecter les besoins du bébé, savoir l'écouter, cela ne veut pas dire que la maman n'a pas à intervenir pour organiser le rythme de l'enfant: nuit/journée; prise de lait/sommeil; alimentation/câlins.

Voici donc quelques conseils pour vous aider.

Ne pas confondre besoin de boire et envie des bras

À l'affût du moindre «bruit» ou pleur de l'enfant, la mère aura d'emblée tendance, dans les premiers jours, à donner très souvent à boire au nourrisson dès qu'il émet le moindre petit bruit, de peur de passer à côté de ce besoin de lait.

Elle s'apercevra vite que l'enfant qui avait déjà bu, par exemple, il y a une heure, n'a bien sûr pas très faim. Il s'est arrêté de pleurer une fois dans les bras, a tétouillé quelque peu et… se sent très bien dans les bras de sa mère. Une fois l'enfant posé dans son lit, les pleurs reprennent. Là, les choses sont claires, il n'a pas faim, il veut rester dans les bras.

Il faut que la maman reconnaisse rapidement ce besoin légitime de plaisir pour ne donner à boire que lorsque l'enfant émet de façon nette des signes de faim. Sinon, c'est l'anarchie et très vite l'épuisement maternel physique et psychologique.

Il faut respecter l'envie des bras, le plaisir du contact. Mais ne pas forcément prendre ce plaisir pour un besoin alimentaire à combler.

Savoir intervenir pour organiser le rythme de l'enfant

L'enfant met plusieurs semaines pour s'adapter aux deux rythmes différents que sont le jour et la nuit. Et la mère se lèvera donc un certain temps la nuit pour nourrir son enfant. Car l'estomac du bébé crie alors autant famine à midi qu'à minuit.

Au bout d'un mois environ, si certains enfants font une nuit quasi complète, d'autres réveillent leur mère encore une fois en pleine nuit. D'autres continuent à boire allègrement aussi bien le jour que la nuit, d'autres encore peuvent pousser le vice jusqu'à plutôt dormir le jour et boire la nuit !

Que faire ?

D'abord, dans la journée, évitons que bébé ne dorme au-delà de 5 heures d'affilée. Au bout de 5 heures de sommeil, donnons-lui à entendre un morceau de musique classique. En cas de sommeil persistant… peut-être préfère-t-il du jazz ? Il finira par se réveiller, et vous verrez que si l'on dit : « Qui dort dîne ! », il est aussi vérifié que : « Bébé réveillé a faim ! »

Au cours de la nuit, diminuons progressivement les rations pour habituer doucement l'enfant à moins boire en nocturne… Essayons en tout cas de diminuer de 30 ml en 30 ml les doses de biberon. Et si cela marche… de ne donner qu'un peu d'eau les quelques fois où l'enfant se réveillera encore.

Essayons aussi de donner la première prise de lait du matin dans une fourchette horaire identique tous les jours, à la demi-heure près. L'enfant pouvant ainsi s'appuyer sur une base de départ qu'il intégrera ensuite à son propre rythme.

Avec ce système, vous arriverez plus facilement à câliner votre enfant le jour, et à dormir la nuit. Peut être… Souvent, il faut bien l'avouer, les meilleurs plans volent en éclat et rien n'est vraiment assuré. Si la mère allaite, c'est encore plus délicat, l'enfant aimant pendant longtemps dévorer le sein en pleine nuit. Grandeur et servitude de l'allaitement maternel !

Sein ou biberon ?

C'est le choix de la mère, et uniquement de la mère. C'est sa préférence. Ce choix est en principe décidé avant la venue au monde de l'enfant ; et aucune influence extérieure – familiale, culturelle ou médicale – ne devrait aller contre ce choix.

L'important est que cet allaitement soit bien vécu par les deux partenaires : la mère et son bébé.

L'allaitement maternel

Il peut commencer quelques minutes après la naissance, si l'équipe obstétricale a pris l'habitude de présenter rapidement l'enfant à sa mère. Dès sa naissance, le bébé, réchauffé par un drap, est placé contre sa mère, blotti ventre contre ventre. Sa tête entre les deux seins maternels. Moment de rencontre intense… Lente recherche du mamelon si proche… Et déjà l'envie de téter. D'ailleurs ça y est… Il tète! Le chemin de la source de vie est trouvé. Pour de longues semaines.

Et puis, pour la mère, au milieu de ce grand pincement au cœur, un petit pincement… au ventre, car, belle organisation de la nature, cette succion a provoqué une contraction de l'utérus qui pourra ainsi stopper plus vite son saignement.

Après cette première prise de contact de plaisir et de vie, l'allaitement maternel va pouvoir s'instaurer au fil des jours.

Faut-il donner un biberon en attendant que la montée de lait se fasse ?

Cela peut s'avérer nécessaire parfois, si vraiment le sein est encore « sec » ou la mère « hors circuit » – après une césarienne avec anesthésie générale par exemple. L'enfant ayant vite très faim 1 ou 2 heures après sa naissance, il faudra alors lui donner du lait artificiel par biberons. Le médecin choisira donc, dans ces hypothèses, le lait d'attente qu'il jugera le meilleur, en fonction du poids de l'enfant et de son terme.

Depuis quelques années, il était de bonne pratique d'utiliser, pendant cette période intermédiaire, des laits hypo-allergénique (ou HA). Pour les petits poids ou les prématurés de quelques semaines, l'on utilise volontiers des laits spéciaux, individualisés par le préfixe « pré » suivi du nom de la marque du lait.

En fait, le médecin ou la sage-femme décideront la plupart du temps de donner tout simplement le lait donné à tous les bébés de la maternité nourris au biberon pendant ce mois-ci. Puisque chaque maternité organise un «tour de lait», distribuant par périodicité mensuelle l'une ou l'autre marque de lait enregistrée dans ses tablettes.

Sachant la course effrénée de toute l'industrie du lait pour rester leader dans l'idéal lacté artificiel, nous en arrivons, pour le bien-être des nouveau-nés, à une quasi-similitude parmi ces laits. Donc, quel que soit le lait que l'on proposera à votre enfant avant que vous ne puissiez complètement l'allaiter, soyez rassurée, il sera bon pour lui.

C'est la succion du sein par le bébé qui va accélérer la montée de lait

Le bébé boira d'abord ce lait un peu clair mais très utile pour lui : le **colostrum**. Puis, rapidement, votre lait deviendra un vrai lait, plus épais.

N'hésitez pas à vous faire aider par l'équipe de maternité. L'allaitement maternel a beau être un geste supposé naturel et instinctif, il mérite souvent, au départ, aide et conseil de la part de la sage-femme et de la puéricultrice. Notamment pour tout ce qui concerne :

❱ la position la plus confortable à prendre pour vous éviter un mal de dos et pour dégager le nez du bébé ;

❱ la manière de nettoyer le bout de sein ;

❱ le soutien de la poitrine ;

❱ l'éventuel besoin du bout de sein pour remédier à la petitesse d'un mamelon ;

❱ les petits trucs pour éviter crevasses et engorgement.

Cette aide fait souvent partie des préoccupations de l'équipe de maternité. Parfois elle vous paraîtra insuffisante, réclamez-la!

La tétée

Il est souvent préférable, au début, de présenter les deux seins à chaque tétée, pour permettre une mise en route symétrique et une stimulation maximale de la lactation.

Plus tard, la mère s'organisera comme elle veut, selon la voracité du petit bout et l'importance de sa lactation: un sein par tétée, en alternance une fois sur deux, ou les deux seins l'un après l'autre.

La durée d'une tétée est 10 à 15 minutes pour chaque sein environ; avec organisation d'une mi-temps avant de passer à l'autre sein, pour permettre à l'enfant de récupérer, de faire son rot, de reprendre son élan. Une tétée durera donc de 20 à 30 minutes.

Attention aux crevasses du mamelon provoquées par les suceurs chroniques qui confondent sein et sucette!

Boire, il faut le savoir, représente pour l'enfant une grande dépense d'énergie. Encore plus importante au sein qu'avec le biberon. Plus le poids de naissance est faible, plus la prématurité est importante, moins l'enfant boira longtemps et moins les doses prises seront importantes. Mais plus fréquentes, évidemment, seront les envies de téter.

Il n'y a aucune question à se poser du genre: «Est-ce que mon lait est bon, lui convient-il pour sa croissance, est-il assez riche?» Parce qu'il n'y a jamais de problème de qualité de lait. Si votre état de santé est bon et qu'il n'y a pas lieu d'interdire médicalement l'allaitement (cas rares, tels l'infection par le virus du VIH, par exemple) votre lait est forcément bon lui aussi.

Mais parfois, c'est vrai, peut se poser un problème de quantité. La nature pouvant vous faire bénéficier soit d'une lactation impressionnante (comme celle des nourrices d'antan qui avaient, c'est le cas de le dire, du lait à revendre…), soit d'une lactation moindre, ce qui peut parfois conduire à la «panne sèche», surtout en fin de journée.

Très souvent, cependant, les mères pourront toutes allaiter leur enfant, surtout pendant les premières semaines, ce qui est le plus bénéfique pour lui.

L'engorgement mammaire

L'engorgement mammaire est un épisode encore assez fréquent, relativement imprévisible, survenant au moment de la «montée de lait». Le sein est rosé, tendu, douloureux… Il faut tout faire pour empêcher un abcès de se former.

Si votre envie d'allaiter votre enfant vous est toujours autant chevillée au corps malgré la douleur et la frustration, voilà ce qu'il faut faire pour arrêter l'engorgement…

Il faut «vider» le sein! En sachant que le meilleur tire-lait… C'est le bébé lui-même! Continuez donc d'allaiter votre enfant.

En plus:

◗ Pressez-vous les seins manuellement plusieurs fois par jour, grâce à des manœuvres douces mais répétées et soutenues de quelques secondes, pour faire sortir ce lait accumulé et prisonnier.

◗ Prenez plusieurs fois par jour des douches, avec une eau mi-tiède mi-chaude, en dirigeant le jet sur vos seins et en les massant légèrement.

◗ Quand le bébé dort et ne réclame pas, utilisez pour vider vos seins un tire-lait artificiel que vous procurera la sage-femme.

Ce faisant, l'épisode douloureux et inflammatoire disparaîtra dans la plupart du temps dans les 48 heures.

Si une certaine désespérance, une fatigue, une inquiétude, et finalement… un ras-le-bol s'installe, certaines mamans diront alors stop! Et choisiront d'abandonner l'allaitement maternel.

Un médicament, pour arrêter la montée de lait, vous sera alors proposé: le Parlodel®. Mais, dès la première prise du traitement, le lait maternel deviendra interdit pour votre bébé. Ce sera dorénavant pour lui le «biberon».

Et la prise d'antibiotiques

Dans certains cas, les risques d'abcès du sein persistent et l'on vous a prescrit des antibiotiques. L'allaitement maternel n'a cependant pas lieu d'être arrêté! Il sera simplement différé de quelques jours.

Vous effectuerez les manœuvres de «vidage» du ou des seins, pendant la durée de l'antibiothérapie, de manière manuelle et en vous aidant du tire-lait artificiel.

L'enfant sera nourri, en attendant votre guérison, par biberons et lait artificiel. En sachant que même s'il buvait de votre lait pendant ce traitement par antibiotiques, il n'y aurait pas grande consé-quence pour lui. Pour ne pas dire aucune. Donner à boire à votre enfant du lait maternel contenant quelques traces d'antibiotique (pénicillines) est un inconvénient tout à fait minime par rapport au bénéfice qu'il retirera d'un allaitement maternel qui pourra se poursuivre.

Certains antibiotiques, autres que la pénicilline et dangereux pour l'enfant, imposeront par contre le respect absolu de l'interdiction temporaire de l'allaitement.

D'autres cas nécessitant des antibiotiques sont possibles, telle l'infection urinaire maternelle. Là aussi, votre lactation, dans la grande majorité des cas, pourra être préservée et se poursuivre.

Hépatites et allaitement

L'allaitement est possible en cas d'hépatite C maternelle, le risque de transmission materno-fœtale n'étant pas démontré. En cas d'hépatite maternelle B, il faudra injecter des gammaglobulines spécifiques au nouveau né et commencer dès la naissance la vaccination anti-hépatite B.

Combien de temps allaiter?

C'est le choix de la mère. Choix dans lequel interviendra surtout la reprise ou non d'une activité professionnelle.

Question fréquente de la part des mamans: quelle est la durée d'allaitement la meilleure pour mon bébé? Que dire d'autre que: 1 mois c'est très bien, 4 mois c'est super, 1 an c'est extraordinaire!

Sur un plan statistique, une maman sur deux allaite son enfant pendant son séjour à la maternité. 30 % des mamans allaitent de manière complète jusqu'à 3 mois et 4 % après 3 mois.

L'allaitement mixte

Il peut être instauré dès le départ, si le bébé est un gros mangeur ou si la mère a des problèmes de production de lait, ou plus tard, quand la mère reprendra son travail à l'extérieur, ce qui permet de concilier l'allaitement à la maison et la prise de biberons pendant les heures d'absence… Il peut aussi être utilisé uniquement comme étape de sevrage.

Ses avantages

▶ Préserver un peu de liberté, en pouvant laisser l'enfant en garde avec la grand-mère, la baby-sitter ou la nourrice.

▶ Amorcer doucement le sevrage en habituant progressivement l'enfant à cet instrument barbare qu'est la tétine du biberon…

▶ Garder le choix du moment de l'abandon total de l'allaitement maternel.

▶ Pouvoir permettre le partage du rôle nourricier avec le père (même la nuit)

Ses difficultés…

Parfois – surprise! – l'enfant refuse totalement le biberon. «Le sein de ma mère ou rien!»

Il est rare en effet que l'enfant ne fasse pas – au minimum – quelques difficultés lors du passage à l'allaitement par biberon. D'abord ce n'est pas la même façon de téter: il ne s'agit plus seulement de presser un mamelon, mais également de découvrir un nouveau mouvement d'aspiration. Et puis, surtout, le bébé se dit: «Mais qu'est ce que c'est que ce truc! C'est tout froid, inerte, sans odeur, sans saveur… Beurk!» Un gros dilemme s'installe, en même temps qu'une culpabilisation chez la mère, très triste de priver son enfant de son plaisir préféré.

Que faire?

Outre la douce persistance dans les essais de biberons, on pourra tenter d'appeler au secours le père ou la grand-mère, dont les sécheresses glandulaires inciteront peut être l'enfant à ne plus rechercher l'odeur du lait maternel et à faire contre mauvaise fortune… finalement «bon biberon!».

Précautions

La glande mammaire étant moins sollicitée, il y a risque de baisse non contrôlée de la lactation (la fonction créant l'organe…). Pour le bébé, il pourra y avoir une phase d'adaptation digestive, avec alternance de selles tantôt molles et tantôt plus formées.

Le sevrage

Il sera le plus progressif possible. Dans l'intérêt plastique de la glande mammaire maternelle : plus son volume diminue progressivement, plus l'esthétique future du sein, abandonnant son rôle nutritionnel, sera préservée. Et dans l'intérêt psychologique de l'enfant, qui abandonnera (pour la deuxième fois) sa mère d'autant moins difficilement qu'il aura pu apprendre et finalement apprécier, faute de mieux, l'alimentation au biberon.

Un minimum de 15 jours est nécessaire pour réaliser en douceur un sevrage complet. Vous aurez ainsi à planifier, en fonction de la date prévue du sevrage définitif, la diminution du nombre de tétées et l'introduction régulière et progressive des biberons.

Ce sevrage progressif vous conduira ainsi, tout naturellement, à la réduction rapide de la production de votre lait et, en fin de course, quand vous l'aurez décidé, à l'arrêt de toute lactation.

Il se peut néanmoins qu'une lactation résiduelle persiste après le sevrage du bébé. Le médecin vous prescrira alors un traitement pour arrêter toute production de lait.

Quelques précisions concernant les biberons

Dans les premiers jours ou semaines, il vaut mieux, comme pour le sein, organiser une mi-temps dans la prise des biberons. Le temps pour l'enfant de récupérer de son effort, de faire un rot intermédiaire et de vite se rendre compte… qu'il a encore faim.

Vous trouverez vite la bonne **graduation de la tétine** à présenter à l'enfant. Afin de lui permettre de ne pas tirer comme un damné sur une tétine trop fermée ou qui déverse un lait épaissi. Et lui éviter d'être aspergé de lait, de s'étrangler et d'arrêter de boire si l'orifice de la tétine est trop ouvert.

La **température** du lait maternel qui «sort» à 37 °C doit être votre référence dans la préparation des biberons. En pratique cela correspond à du lait légèrement tiède. En été, vous pourrez vous contenter de la température ambiante.

L'eau de préparation des biberons sera une **eau faiblement minéralisée,** de type Évian. Le choix est large parmi ces eaux minérales spéciales biberons. L'eau du robinet est à éviter.

La stérilisation des biberons et tétines

Stériliser c'est se donner l'assurance antibactérienne maximale. Faut-il considérer que cette stérilisation est absolument obligatoire pour les biberons alors que l'on ne stérilise pas le téton de la mère qui allaite…? La réponse dépend de votre organisation.

Si vous souhaitez avoir un stock de biberons prêts pour la journée, vous les stériliserez. Si vous agissez au coup par coup, vous pouvez, pour nourrir sur-le-champ votre enfant qui a subitement faim, utiliser un biberon non stérilisé après l'avoir nettoyé très scrupuleusement (grand goupillon) avec sa tétine (petit goupillon)

Si les biberons sont nettoyés dans le lave-vaisselle, il faudra les rincer avant utilisation. Ils pourront rester dans le stérilisateur si la stérilisation s'est faite à froid ou à la vapeur.

PEUT-ON PRÉPARER À L'AVANCE UN BIBERON ?

Non, si le biberon n'a été que nettoyé. Oui, si le biberon a été stérilisé puis préparé. Il peut alors être conservé au frigo à + 4°, puis réchauffé.

Ce fameux rot !

«Hourra! pour le rot»

Cette régurgitation d'air, qui deviendra plus tard du plus mauvais goût et sera réprimée, tout du moins dans son aspect sonore, est recherchée et attendue chez le bébé. Chaque mère, avant même qu'elle sache comment préparer un biberon, connaît l'importance du rot.

Quel est donc cet air qui s'échappe de l'estomac au moment du rot, soulage l'entourage et signe le bon état digestif de bébé?

C'est surtout l'air contenu normalement dans l'estomac vide. C'est également l'air que l'enfant avale plus ou moins pendant qu'il boit. Cette masse d'air est déplacée vers le haut de l'estomac à mesure que le biberon se vide. La bulle d'air, plus ou moins volumineuse, plus ou moins coincée, peut créer alors chez le bébé une sensation d'estomac plein qui lui fera arrêter le remplissage. Cette bulle va finir par trouver le chemin de la sortie en passant par la cheminée œsophagienne.

Cette sortie, très remarquée par une joyeuse sonorité, ira diminuer la tension de l'estomac; et si l'enfant a encore faim, il y aura à nouveau de la place.

Quelques remarques

Le rot sort habituellement dans les minutes qui suivent la fin d'une tétée ou d'un biberon.

Si le rot tarde à s'exprimer, bien que l'enfant soit placé en position verticale dans vos bras ou en position demi-assise sur vos genoux, vous pouvez essayer de le faire sortir en plaçant bébé sur votre épaule de manière à ce que son estomac s'appuie contre l'arrondi de cette épaule.

Chez le petit bébé qui n'a pas souvent la force de boire d'un trait sa tétée ou son biberon, on profitera de cette mi-temps pour attendre un rot intermédiaire éventuel.

L'importance, la fréquence, la régularité du rot sont très variables. Et il se peut qu'il ne vienne pas ou soit décalé dans le temps. Si le rot n'est pas sorti dans les 10-15 minutes, inutile de s'inquiéter ! Placez bébé dans son lit en position demi-assise pendant quelque temps, puis, s'il s'endort calmement, allongez-le dans sa position de sommeil. Il fera un rot plus important la prochaine fois.

Inutile, en tout cas, de faire 10 km entre le salon et la chambre de bébé, avec l'enfant dans les bras et la démarche sautillante, pour faire absolument sortir ce sacré rot… Vous risqueriez de l'habituer à un endormissement permanent dans les bras et à un bercement « digestif » qu'il vous réclamera systématiquement plus tard

L'industrie des biberons s'est penchée sur ce problème du dégazage physiologique de nos petits bouts, afin d'améliorer leur confort. Et c'est ainsi que sont apparus les biberons « coudés ». Il s'agit de biberons courbés à 30° dans leur tiers supérieur. Ils permettent l'assurance d'une tétine remplie uniquement de lait, éliminant donc le risque d'arrivée d'air quand le bras de la mère « fatigue ». Ils permettent aussi de mettre l'enfant dans une position demi-assise, meilleure pour la succion et la déglutition. Comme lors de l'allaitement maternel, qui reste bien sûr la référence physiologique.

Enfin il y aura toujours un peu d'air qui restera… C'est si charmant ce petit bruit !

La position du sommeil

Jusqu'aux années 1960-1970, l'enfant dormait tranquillement sur le dos ou sur le côté. En France comme partout dans le monde. C'était la position universelle, reconnue par toutes les cultures ancestrales ou modernes.

Dans les années 1970, changement de programme, en Occident : l'on conseille désormais de coucher les enfants sur le ventre. Mais cette position sera reconnue, au bout de 20 ans, comme la grande responsable du nombre alors grandissant des «morts subites du nourrisson» (1 500 décès par an en France pendant cette période).

Dans les années 1990, le coucher sur le ventre est alors abandonné et les bébés retournent dormir sur le dos.

Aujourd'hui, la position officielle est impérativement et définitivement la position sur le dos.

La position pendant le sommeil

Qu'en est-il de la position latérale ?

La position latérale, bébé couché sur le côté, est officiellement encore aujourd'hui, fortement déconseillée. Parce que les «gardiens du temple», ceux qui sont en charge des recommandations officielles (centres de référence de la mort subite du nourrisson) ont la crainte d'un retournement sur le ventre des nourrissons placés sur le côté.

Cette attitude intransigeante peut se justifier pour le « co-dodo », qui est dangereux et parfois mortel. C'est pourtant si charmant, et si pratique, de donner le sein à son bébé dans le grand lit parental… Un nouveau-né se réveille souvent la nuit pour réclamer sa ration de lait ; la fatigue aidant, beaucoup de mères sont tentées d'installer leur bébé couché sur le côté, de se mettre elles aussi sur le côté, face au bébé, et de lui donner le sein. Elles peuvent ainsi nourrir leur bébé tranquillement, en se reposant. Petit problème : le couple risque de s'endormir. Pour la mère, pas de problème, elle récupère enfin un peu de son sommeil mis à mal depuis la naissance de l'enfant. Mais pour le bébé qui lui aussi s'endort, comblé, il y a deux dangers d'étouffement : s'il bascule sur le ventre et si la mère, en bougeant légèrement dans son sommeil en vient à enfoncer doucement la tête de son bébé dans le moelleux de la literie, ou à carrément basculer sur lui.

Le nombre de décès d'enfants lié à ce partage du grand lit est encore trop important et il faut donc persister à le déconseiller fortement. Donc, **après la tétée, remettez le bébé dans son lit** !

Mais l'intransigeance de la position officielle est beaucoup moins justifié, pour ne pas dire illogique et nuisible, en prévention et en cas de déformations crâniennes (voir p. 57 et suiv.).

Par ailleurs la position sur le côté est privilégiée par certains pédiatres[1], surtout chez les bébés régurgiteurs.

De 0 à 2 mois

Le corps de l'enfant est positionné sur le dos. Sa tête est alternativement positionnée sur le côté gauche ou droit. Si un aplatis-

---

1. Dr Julien Cohen-Solal, *Mon enfant,* Odile Jacob, 2008

sement de sa tête s'est constitué, il faut créer une latéralisation du corps (voir p. 63).

Tant que l'enfant, en dormant sur le dos, garde ainsi sa tête tournée sur l'un ou l'autre côté, et c'est le cas du jeune nourrisson, il n'est pas nécessaire d'envisager de le positionner sur le côté. Mais si l'enfant « préfère » un côté et qu'une platitude débutante du crâne s'installe, uniforme ou latérale, alors il faut agir. Dans ce cas, l'important est d'organiser la position latéralisée sans risque de basculement sur le ventre. De 0 à 2 mois, un «mouvement de latéralisation» suffit. Il doit être suffisant pour orienter le corps en semi-latéral, sa tête allant se prolonger automatiquement du côté choisi ; mais il ne doit pas permettre au bébé de basculer sur le ventre.

Le plus simple est de soulever légèrement le dos de l'enfant et de positionner contre un côté de son dos une serviette ou un lange roulés. Voyez si ce mouvement suffit à maintenir correctement la semi-latéralisation du corps et induit le bon positionnement de la tête du bébé sur le côté choisi.

Si les essais ne sont pas concluants, un cale-bébé s'imposera.

De 2 à 4 mois

Bébé est devenu costaud ! Il bouge, mais ne peut pas encore se retourner sur le ventre. Il doit toujours dormir sur le dos, sauf s'il existe une déformation crânienne nette. Dans ce cas, il faut le positionner en semi-latéral avec un cale-bébé.

À cet âge, les serviettes, langes ou simples boudins placés contre son dos ne suffisent plus à lui faire tourner la tête dans le sens voulu. Bébé remue, se débat, repositionne sa tête soit à plat, soit du côté déjà déformé. Il faut donc utiliser un cale-bébé «solide» qui maintienne bébé dans la position choisie : sur un côté et sur l'autre, alternativement, si le crâne est plat dans toute sa partie postérieure ; d'un seul côté en cas de déformation unilatérale, donc du côté opposé à cette déformation.

Il est bien évident que tout cale-bébé sera utilisé sous contrôle ! Il sera d'abord placé uniquement le jour, avec une surveillance parentale pour en vérifier l'efficacité. Si un doute ou une inquiétude subsiste, il ne sera pas employé la nuit, pendant le sommeil des parents. Mais l'emploi du cale-bébé aura le mérite d'une efficacité sur les deux tiers du temps.

Après 4 mois

Le risque de retournement sur le ventre est réel. Le bébé doit donc toujours dormir sur le dos. Il faut donc supprimer éventuellement le cale-bébé « latéral ». La déformation crânienne, si elle existe, est désormais fixée !

Utiliser un cale-bébé « dorsal » reste inutile, voire dangereux ! Car le bébé peut se retourner sur le ventre quand même et se retrouver coincé entre les deux boudins. Si, en plus, il existe un petit trou au niveau de la tête – c'est le cas de certains cales-bébé, dits « anti-tête plate »–, le risque d'étouffement est très grand pour le bébé s'il vient y loger son nez !

À tout âge, chez le nourrisson

Dormir sur le ventre reste proscrit. En revanche, placer l'enfant sur le ventre quand il est éveillé est bénéfique et recommandé.

Et les bébés qui ne peuvent s'endormir que sur le ventre ?

Certaines mamans, pourtant bien au fait de l'intérêt de la position dorsale, avouent encore que leur enfant… dort sur le ventre ! Parce que c'est, disent-elles, «la seule position dans laquelle il peut s'endormir»…

Il s'est sans doute passé, jour après jour, la chose suivante : après chaque tétée ou prise de biberon, la maman s'est relaxée en position semi-allongée et a placé le bébé sur son ventre, la tête entre ses deux seins. C'est une position d'affectivité éminemment naturelle et spontanée. Que nous tous, parents, avons pratiqué…

Le bébé, en position de «grenouille», «respire» sa mère, entend sa mère qui lui parle et le caresse – le père pouvant bien sûr, lui aussi, apprécier ces instants et cette position. Et c'est tellement bon… que notre bébé, «aux anges», s'est rapidement enfoncé dans un sommeil profond.

Petit conseil : évitez de trop systématiquement laisser l'enfant s'endormir sur ce ventre maternel chéri et s'enfoncer dans un long sommeil. Dès que vous le sentez partir dans les bras de Morphée, couchez-le dans son lit, sur le dos. Sinon, il refusera de s'endormir dans cette position, recherchant toujours alors un contact «ventral».

Vers 4-5 mois

À partir de 4-5 mois, l'enfant aime jouer avec son corps et partir à la conquête de nouvelles prouesses. Il a désormais suffisamment de force et de technique pour quitter cette position dorsale, peu stimulante et monotone, se retourner sur le ventre en basculant très habilement une jambe par-dessus l'autre… et faire tourner le corps tout entier. Installé sur le ventre, il peut alors lever sa tête et observer un monde alentour nettement plus intéressant que la couleur du plafond! Quand il a acquis cette technique, il peut la répéter à l'envie. La journée, quand il est éveillé, mais aussi la nuit s'il se réveille…

Bien sûr, s'il se réveille sans bruit et sans pleurer, les parents ne sauront pas qu'il a basculé sur le ventre. Que faire alors ? Rien ! Il est admis que l'enfant, s'il se retourne, a suffisamment de force et d'expérience pour s'échapper d'un obstacle, et peut manifester son éventuel désarroi en le signifiant par des pleurs à ses parents.

De toute façon si l'enfant se retourne sur le ventre la nuit, sachez que la prévention des risques se situe surtout dans l'organisation d'une literie sécurisée.

L'organisation d'une literie sécurisée

C'est le pilier fondamental dans la prévention de la mort subite du nourrisson. À l'époque funeste du couchage conseillé sur le ventre, dont a certainement « bénéficié » le lecteur... (années 1970 à 1990), les décès induits étaient, en grande majorité, liés à l'étouffement des enfants venant enfouir leur nez dans une literie trop molle et remplie de pièges d'où ils ne pouvaient s'échapper.

Le jeune bébé, immobile dans son corps, mais pouvant lever légèrement la tête, repositionnait celle-ci au milieu d'un matelas trop mou. Il inspirait alors l'air qu'il expirait. Pas longtemps...

Le bébé de 3 mois, qui peut à cet âge commencer à se mouvoir, s'appuyait sur ses avant-bras, poussait sur ses pieds, et venait doucement mais sûrement encastrer son nez et sa bouche dans un « creux » ou une « bosse » : soit le vide situé entre le bord du matelas et son cadre en bois, recouvert ou non d'un tour de lit ; soit la bosse d'un repli du lit, d'un doudou, d'une peluche.

Les décès étaient plus fréquents en hiver (nez bouché par les sécrétions) et vers 3 mois (âge du début de la reptation).

Les règles du coucher

▸ L'enfant dort sur le dos, sur un matelas ferme.

▶ Il n'y a RIEN sur ce matelas : pas de couverture ni de couette ; pas de drap de dessus ; pas d'oreiller ni coussin ;

▶ Il n'y a pas de tour de lit.

▶ Les peluches et doudous seront enlevés quand l'enfant dort.

▶ Il sera vérifié qu'aucun espace n'existe entre les bords du matelas et le cadre du lit.

▶ Si l'enfant dort, de temps à autre, dans un lit portable de type lit dit parapluie, le matelas sera choisi suffisamment ferme et aucun « surmatelas » ne sera ajouté.

Que penser des matelas dits ergonomiques ?

Le Cocoonababy® est un matelas « ergonomique » prisé par certaines mamans. Prévu à l'origine pour « cocooner » les prématurés, il a l'avantage, par son profil, de bien épouser l'anatomie du bébé et d'augmenter la surface de contact avec le matelas, ce qui sécurise l'enfant.

Le désavantage se situe dans un risque accru de déformations du crâne. En effet, le bébé se sent si bien dans ce gros chamalow qu'il n'éprouve pas le besoin de tourner sa tête. En aurait-il envie, la texture du tissu, peu « glissante », l'en dissuaderait. Donc, si vous utilisez un matelas de ce type, vérifiez très régulièrement si un aplatissement de la tête n'est pas en train de s'installer. De même, changez régulièrement la position de la tête, à droite puis à gauche (voir aussi p. 57 et suiv.).

À ergonomie corporelle égale, le Bibed™ permet une meilleure rotation de la tête.

Dans tous les cas, ces matelas ne sont utilisables que jusqu'à 4 mois. Et en aucun cas il ne faut les placer dans un lit à barreaux, car le risque est grand d'un retournement dans l'espace creux situé entre ces matelas et le cadre du lit.

Attention aux lits parapluies!

▶ Vérifiez toujours que le matelas vendu avec le lit est bien adapté aux contours du lit, sans espace entre le bord du matelas et le tissu du contour du lit.

▶ Garder le matelas d'origine.

▶ Ne rajoutez pas de surmatelas.

▶ L'habillement de l'enfant

▶ L'enfant sera vêtu d'une «turbulette» ou «gigoteuse»: cela limite les facilités de retournement ventral tout en lui laissant une mobilité suffisante.

▶ La qualité et l'épaisseur pourront varier en fonction des saisons et de la température ambiante.

Que faut-il en penser de l'emmaillotage?

L'emmaillotage est cette pratique ancienne et traditionnelle qui consiste à envelopper le nouveau-né dans un morceau de tissu. Longtemps décrié par ceux qui ne voyaient là qu'une entrave à la liberté de mouvements, elle correspond cependant à ce besoin exprimé par les bébés pendant les premières semaines: pouvoir se situer au milieu d'un espace précis et rassurant.

L'entourage du bébé

▶ Pas de tabac: personne ne fume au domicile du bébé.

▶ Aérer matin et soir la chambre de bébé.

▶ Température idéale de la chambre: 19 °C.

▶ La nounou qui s'occupe de l'enfant suit scrupuleusement les règles de sécurité transmises.

▶ Pas de collier autour du cou de bébé.

▶ Le lit est éloigné de la fenêtre, de toute lampe, cordon de rideaux, prise ou fil électrique.

La déformation crânienne

Dès que l'enfant est né, c'est son visage que l'on découvre, émerveillé! Sa bouille, sa bouche, ses yeux, son nez, ses cheveux, tout est sujet à l'émotion parentale. On découvre cette prolongation de soi, cette subtile alchimie que l'hérédité des parents a construite. Le visage du bébé marque son identité qui en fait un individu unique. Le reste du corps est bien sûr examiné sous toutes les coutures dès qu'il est né; mais le plus important reste et restera ce visage qu'on ne se lasse pas de contempler et qui fera l'objet d'une pluie de remarques émues de la part de toute la famille. La forme du crâne du bébé, elle, ne donne lieu à aucun commentaire. On sait que la tête d'un bébé, c'est fragile; on la soutient donc en mettant les mains par l'arrière. On a caressé ses cheveux, on a frôlé la grande fontanelle, ce trou inquiétant! Et puis on voit sa tête grossir, persuader qu'elle va continuer de grossir normalement. Erreur! Car un aplatissement de l'arrière du crâne est devenu aujourd'hui très fréquent.

Comprendre ce qui se produit

L'enfant dort désormais sur le dos et on a vu pourquoi. Mais, certains conseils n'ayant pas été donnés à temps, l'appui postérieur de la tête du bébé va se prolonger sans interruption jour et nuit; il a lieu aussi pendant les phases d'éveil et se fait parfois sur un support inadéquat.

En même temps qu'augmentait le nombre d'enfants (re)couchés sur le dos à partir de 1993, celui des enfants présentant une déformation crânienne suivait une courbe exponentielle. Aujourd'hui, au moins 20 % des enfants âgés de moins de 5 mois présentent une déformation postérieure du crâne.

Ces déformations «positionnelles» sont liées à un appui prolongé sur la partie postérieure du crâne et qui se produit aussi bien contre le matelas du lit que contre la coque du siège auto ou du baby relax.

Il faut rappeler que, les premiers mois, le crâne du bébé n'est pas encore une boule dure complètement ossifiée. Son crâne est constitué de plaques osseuses séparées par des intervalles : les sutures.

L'ensemble plaques osseuses et sutures est donc malléable. Cette malléabilité a permis au crâne de se rétrécir pour «passer» lors de l'accouchement ; il lui permet ensuite de s'agrandir sous la pression du cerveau qui «pousse» en dessous. De même, si une pression extérieure trop puissante s'exerce sur ce crâne, tel l'appui sur lequel il repose, il va se déformer.

Nous pouvons comparer ce crâne à un gros abricot mûr. Si nous laissons cet abricot sur une assiette quelque temps sans le bouger, sa base va s'aplatir.

Les déformations positionnelles

Il existe deux grandes déformations crâniennes liées à la position dorsale : la brachycéphalie, qui correspond à un aplatissement de toute la partie postérieure du crâne, et la plagiocéphalie, qui correspond à un aplatissement postérieur d'un seul côté, le droit ou le gauche.

On les appelle PPOP ou plagiocéphalies postérieures d'origine positionnelle (par opposition à certains aplatissements crâniens liés à des soudures précoces des sutures, ou synostoses)

Ces déformations ont été au départ plutôt ignorées ou minimisées car l'important résidait ailleurs : que le bébé dorme sans risque !

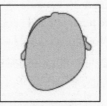

Brachycéphalie,
vue de dessus

Plagiocéphalie
droite

Aujourd'hui ces déformations sont prises en compte plus sérieusement. Car, outre leur nombre très important, outre l'aspect esthétique irrattrapable en cas d'atteinte sévère (sauf à faire porter un casque à l'enfant), il est apparu qu'elles n'étaient pas sans conséquences sur la vie future de l'enfant, tant au niveau cérébro-crânien (dentaire, maxillaire, visuel) qu'au niveau du développement psychomoteur ou cognitif.

Comment déterminer l'existence et l'importance d'une déformation du crâne chez un nourrisson? Pour les parents, cela n'est pas très aisé par le seul regard. Car l'unique façon d'observer la déformation étant de regarder le dessus du crâne du bébé, il est admis que les parents n'ont pas spontanément cette tendance. Et si le médecin leur demande de regarder, en vue du dessus, le crâne de leur enfant, ils ne voient souvent pas grand-chose… l'amour étant aveugle, c'est bien connu.

Les signes d'alerte à prendre en compte

▶ L'élargissement du haut du crâne, en vue de face: les côtés du visage doivent rester droits, des tempes à la mâchoire. Si le visage prend l'allure d'un triangle, avec la pointe en bas, il y a élargissement anormal du haut du crâne, reflet d'une poussée postérieure trop puissante.

▶ Un front bombé en vue de profil.

▶ Une oreille est plus avancée que l'autre, en vue de face.

▶ En regardant le dessus du crâne, on visualise la rupture de l'arrondi de l'occiput, avec aplatissement postérieur, et l'avancée d'une oreille par rapport à l'oreille opposée.

Deux cas particuliers

Le torticolis congénital Il arrive que le fœtus, exposé à des pressions intra-utérines importantes naisse avec la tête un peu penchée, déviée par rapport à l'axe général du corps. Cette contrainte exercée in utero a perturbé l'équilibre des muscles latéraux du cou. Un des grands muscles qui soutient la tête et permet sa rotation (le muscle sterno-cléido-mastoïdien) est plus raccourci et moins souple que celui du côté opposé. L'enfant préférera tourner la tête du côté du muscle raccourci pour éviter de le mettre en tension en tournant sa tête du côté opposé.

Si on le voit positionné en permanence dans un même arc de cercle quand il est allongé, un torticolis congénital est fortement suspecté. Dans ce cas de figure, l'ostéo-kinésithérapie néonatale prend toute sa place.

L'ostéopathe mobilisera en douceur la tête du bébé pour lui redonner une mobilité latérale du cou symétrique. Si un kiné-ostéopathe n'est pas disponible dans le service de maternité, un rendez-vous sera pris en ville rapidement.

Le bébé costaud De poids de naissance élevé, ce bébé est un peu le gros pataud qui, vu le poids de sa tête, aura moins d'agilité pour la bouger. La « crevette » de petit poids, active et remuante, présentera moins de risque.

Comment éviter une déformation du crâne ?

La surveillance doit se faire à tous les stades de la croissance dans les premiers mois. Pour chaque situation, il y a une prise en charge possible.

De retour à la maison

Les parents doivent impérieusement alterner en permanence le positionnement de la tête du bébé. La tête sera tournée sur le côté, tantôt à droite, tantôt à gauche, alternativement, après chaque tétée ou biberon ou 1 jour sur 2. On évitera, lors des repas, de toujours tenir l'enfant du même côté. Dans un porte-bébé, sa tête sera, de même, positionnée en alternance droite et gauche.

Ce positionnement, s'il est facile à proposer chez le jeune bébé, devient plus problématique au fil des semaines, car l'enfant prend des forces et peut signifier sa préférence pour un côté en s'y replaçant systématiquement. Il faut alors ruser pour attirer son attention vers le côté souhaité. C'est ainsi que, avant l'endormissement, il faudra placer du côté souhaité les stimuli de lumière, de présence des parents, de mobile musical, afin d'attirer son regard et le positionnement voulu de sa tête. Et l'on changera la position du bébé dans son lit le lendemain, tête à la place des pieds.

Dès l'âge de 15 jours

Il faut commencer dès maintenant à placer l'enfant sur le ventre lors des moments d'éveil. Quotidiennement et pendants quelques instants au début, puis plus longuement jusqu'à ce qu'il exprime sa lassitude. Cela lui permet de relever sa tête, de muscler son cou et de bouger latéralement la tête pour peu qu'on lui propose des stimuli de bruits, de couleurs, de lumière sur sa droite et sa gauche.

Certains supports d'appui à surveiller spécialement

▶ Les matelas «cocoonant», bien en vogue, ont certes l'intérêt d'être un support agréable pour l'enfant, mais la rotation de la tête y est moins aisée. Une tête lourde s'y enfoncera plus volontiers et y restera plus facilement fixée dans la position préférentielle choisie par l'enfant.

▶ Les matelas «à mémoire de forme» seront proscrits puisqu'ils incitent la tête à rester dans son «creux» une fois installée, ce qui va à l'encontre du but recherché.

▶ L'enfant ne restera pas trop longtemps installé dans un baby-relax. Tant qu'y étant installé, il reste éveillé, regarde autour de lui, joue avec ses mains, c'est acceptable évidemment; mais qu'il s'endorme ou qu'il reste immobile, la tête tournée toujours du même côté, il faudra alors vite le poser dans son lit.

▶ Les coques plus rigides, type «cosy» ou siège auto ambulant, risquent d'appuyer trop fort sur l'arrière crâne. Là aussi, leur usage sera limité au strict minimum.

▶ Les cales-bébé dorsaux sont à proscrire car ils ne sont d'aucune utilité.

Comment traiter une déformation du crâne?

Il existe trois grands axes de traitement sont:

▶ l'évitement de l'appui crânien qui a engendré la déformation,

▶ l'ostéo-kinésithérapie pour faciliter les mouvements spontanés de la tête,

▶ le casque en cas de déformation très importante.

Le positionneur latéral

En cas d'aplatissement postérieur unilatéral, il faut positionner la tête systématiquement du côté opposé. Pour ce faire, il faut contraindre l'enfant à adopter une position de latéralisation, suffisante pour que la tête suive cette position latéralisée du corps et tourne sur le côté.

Les positionneurs utilisant deux coussins triangulaires pour positionner le bébé à 45° sont efficaces. L'enfant est latéralisé sans être complètement sur le côté. Le dos est bien soutenu, le thorax non comprimé, la respiration libre, le «calage» sûr, sans risque de retournement sur le ventre. Certains positionneurs sont réglables pour permettre aux deux boudins triangulaires de s'adapter, en largeur, à la morphologie de l'enfant.

Au départ, le médecin vérifiera la bonne adaptation du positionneur. Le positionneur sera d'abord proposé pendant les phases de sommeil de jour, afin que les parents puissent vérifier, à vue, la bonne qualité du sommeil de l'enfant, son acceptabilité, le maintien correct de la position latéralisée.

Le positionneur sera éventuellement proposé, après accord médical, pour toutes les phases de sommeil, de jour comme de nuit, jusqu'à l'âge de 4 mois. Au-delà de 4 mois, le positionneur ne sera proposé que le jour, un adulte présent en permanence.

La collaboration ostéo-pédiatrique

Si l'ostéopathie est essentielle, surtout à la naissance, pour assurer une bonne mobilité de la tête, corriger une asymétrie de tonicité musculo-squelettique cervicale, dépister et traiter un torticolis congénital, il serait vain d'espérer obtenir, grâce à l'ostéopathie seule, une «mobilisation» crânienne suffisante qui puisse corriger la déformation une fois celle-ci installée.

L'ostéopathie sans positionnement adéquat de la tête par un positionneur latéral est vouée à l'échec. C'est pourquoi le pédiatre et l'ostéopathe doivent agir de concert : le pédiatre décide de la mise en coucher latéralisé, il en contrôle la mise en route, le confort de l'enfant et la date de son arrêt (avant que l'enfant ne puisse se retourner seul sur le ventre) ; l'ostéopathe contrôle régulièrement la souplesse et l'amplitude correcte des mouvements de la tête et du cou.

Tous deux suivent l'évolution de la déformation, en construisant des empreintes répétées du contour du crâne par ruban thermoformable ; ils calculent l'évolution favorable ou non des indices crâniens. Ils savent tous les deux à quel moment, et sur quels indices crâniens calculés, il faut parfois recourir à une orthèse (casque) et le proposer aux parents. Car le temps presse !

Le casque

C'est la seule solution qui reste à l'âge de 5-6 mois si la déformation est sévère. À cet âge la déformation est fixée et aucun autre traitement ne pourra l'améliorer. L'enfant sait se retourner sur le ventre et le positionneur latéral n'est donc plus de mise, voire dangereux.

Le crâne est moulé par bandelettes plâtrées et l'empreinte ainsi réalisée sert à fabriquer un casque en résine qui passe «en pont» au-dessus de la zone déformée pour permettre à celle-ci de rester dans le vide, sans appui. Cette zone d'expansion va se remplir progressivement et redonner l'arrondi voulu au crâne.

Le casque sera porté 22 heures sur 24 pendant plusieurs mois (2 à 4 mois) En contrepartie, l'efficacité est réelle, permettant d'éviter à l'enfant le «cadeau», à vie, de conséquences qui ne sont pas uniquement esthétiques.

Conséquences d'une déformation non traitée

Elles sont de trois types : esthétiques, faciales et neuro-cérébrales.

▶ **Les conséquences esthétiques** : ce sont les plus visibles. Si une déformation minime sera par la suite cachée par les cheveux et passera finalement plus ou moins inaperçue, il n'en va pas de même pour les déformations importantes : le crâne ne se remodèlera pas au cours des années et restera aplati ou asymétrique toute la vie de l'enfant. Les garçons éviteront d'être chauves… Quant aux filles elles choisiront plutôt la coiffure en volume « afro » que les nattes… Et le futur adolescent réclamera peut-être des comptes ou des explications à ses parents, surtout la jeune fille.

▶ **Les conséquences faciales** : l'asymétrie de la voûte crânienne entraîne l'asymétrie de la face : front plus bombé d'un côté, position décalée des oreilles. Au niveau des mâchoires, le décalage risque d'entraîner plus tard des anomalies de l'articulé dentaire et de la mastication.

▶ **Les conséquences neuro-cérébrales** : le cerveau épousant le contour du crâne, il n'y a rien d'étonnant à ce que les zones cérébrales, déplacées dans leur organisation naturelle, puissent avoir un « rendement » diminué ou perturbé. Certaines études ont déjà évoqué une relation avec la survenue de troubles visuels, de retards psychomoteurs, voire de troubles cognitifs.

Bref ! Tous les parents s'attacheront, c'est sûr, à ce que leurs enfants aient la tête bien pleine ; il leur reste aussi à tout faire pour qu'ils aient aussi la tête bien faite !

Plaisir et pleurs

La recherche permanente du plaisir…

… telle est la seule philosophie du bébé.

Car Bébé est un grand sensuel! C'est Épicure! Une boule de sensualité qui fonctionne, quand ses besoins primaires vitaux sont satisfaits, par la découverte du plaisir, l'envie de le garder et de le retrouver, indéfiniment…

Plaisir de la voix douce de la mère chuchotée à l'oreille, plaisir du contact peau sur peau, plaisir des caresses, plaisir du bercement.

Dans le ventre maternel, bébé recevait déjà des ondes agréables. Il percevait les bruits alentour. Il savait reconnaître les sons émis par sa mère. Il en remuait avec autant de plaisir qu'en écoutant une symphonie de Mozart. Il était bercé par l'élément liquide…

Arrivé au grand jour, toutes ces «ondes» de plaisir sont multipliées par 10, par 100! La voix de la mère est toute proche, toute nette. Les ondes liquidiennes qui frôlaient sa peau sont remplacées par le contact chaud et remuant des mains, des bras, de la bouche, du ventre, le bercement est plus fort…

C'est le pied!

Que pourrait demander de plus un bébé, le ventre bien rempli, bercé dans les bras de sa maman qui lui chante une chanson? Rien! Il aime! C'est l'extase!

En règle générale, tout ce que bébé a reçu comme plaisir, il s'en souvient! C'est très vite enregistré, imprimé. Sa peau s'en souvient, son cerveau, ses oreilles s'en souviennent. Tout comme son estomac, qui se souvient du plaisir qu'il a à être rempli !

Bébé fonctionne donc, comme nous adultes, à la recherche du plaisir. Sauf que...

Pour le bébé, le déplaisir n'existe pas

Il est refusé. Point final ! Si nous savons, nous adultes, et depuis longtemps maintenant, que le plaisir est entrecoupé de nombreuses phases de déplaisir et que nous sommes devenus par la force des choses «raisonnables»... Ce n'est pas du tout le cas du petit bout.

Tout ce que nous lui avons donné et appris, il le redemandera...

Arrêtez donc de lui procurer un plaisir et vous le verrez très vite le réclamer. Alors, attention donc aux gestes répétitifs que vous allez lui prodiguer. Ne dites pas : «Il a pris de mauvaises habitudes». Car il n'a pris et ne réclamera que ce qu'il a reçu !

Sachez que si vous voulez, après réflexion, faire marche arrière et supprimer un plaisir qui était devenu «votre» habitude, il y aura beaucoup de pleurs et de grincements de gencives... (voir chapitres : «Pouce ou tétine» et «Troubles du sommeil»).

Et si vous ne le savez pas encore, vous allez vite apprendre que votre bébé est un petit futé ! Qui apprend très vite... à pleurer pour obtenir ce qu'il veut.

Les pleurs pour communiquer

C'est, au départ, le seul mode de communication du bébé pour exprimer à la fois ses besoins, ses envies, ses préférences, sa douleur. Le seul ? En tout cas au début, avant l'âge de deux mois, époque ou il commencera à sourire et donc à pouvoir exprimer le «positif».

Avant cet âge, et de toute façon à chaque fois qu'il veut se « signaler » et alerter, souvent il pleurera. C'est la seule arme que la nature lui a donnée. Et qui lui permet sa survie.

Il y a donc différents types de pleurs avec, pour chacun, des causes et des solutions différentes.

Au début, les choses sont assez simples

L'enfant pleure parce qu'il exprime des besoins. La mère comprend vite ce langage et les pleurs s'arrêteront dès que les besoins seront comblés, essentiellement le besoin d'être nourri par du lait en quantité suffisante.

Il peut aussi s'agir d'une gêne : il fait trop chaud, ses fesses sont mouillées, un rot est « coincé », etc.

Les choses sont ici assez simples. Il suffit d'être à l'écoute de son enfant, d'apprendre progressivement à le connaître, pour répondre à ses appels. Ce que l'on dénomme « l'instinct maternel » est rarement pris en défaut ; c'est le début du métier de parents.

Assez rapidement, changement de programme

L'enfant pleure aussi pour exprimer ses envies, ses préférences, ou ses refus. Envies des bras, de la tétine, d'un bercement… Préférences pour s'endormir sur le canapé du salon, au milieu de tout le monde ! Refus de son lit…

L'enfant recherche là à retrouver ce « plaisir » dont nous venons de parler. Et dès que l'enfant reçoit ce qu'il réclame, les pleurs cessent. Il est content, heu-reux !

Les pleurs de douleur sont vite reconnus.

L'enfant se met à pleurer brutalement, ou ne s'arrête pas de pleurer. Sans que rien ne puisse le calmer, ni les bras, ni un peu de lait, ni la « tétine ». C'est totalement inhabituel ! Les cris sont plus perçants, son petit visage est crispé... Il a mal quelque part ! Mais ou ? coliques ? poussée dentaire ? reflux ? otite ? Le médecin, alerté, y répondra rapidement.

Les « spasmes du sanglot » expriment une douleur vive

L'enfant pleure bruyamment, en saccades rapprochées, puis... plus rien ! La reprise de la grande inspiration qui suit la saccade des cris ne vient pas... Il n'y a même plus de mouvements respiratoires ! L'enfant reste ainsi « bloqué » pendant quelques secondes, des secondes qui paraissent bien sûr très longues... Et puis survient enfin une grande inspiration, avec de nouveau la reprise des pleurs. Ouf !

Ce phénomène est assez impressionnant et bien stressant pour les parents. Malgré tout, sachez que ce n'est ni dangereux ni grave. Il s'agit d'un spasme transitoire de la glotte bloquant toute arrivée d'air. Parfois ce spasme dure suffisamment longtemps pour que l'enfant devienne un peu « bleu » et « mou », voire perdre très exceptionnellement connaissance.

Dans tous les cas, l'enfant se remettra vite à respirer et aucune séquelle d'aucune sorte n'est à craindre. Et aucun geste d'aucune sorte ne pourra raccourcir la crise : ni secouer l'enfant, ni arroser son visage...

Cette crise signifie en tout cas qu'un processus douloureux est en cours et qu'il faut médicalement le dépister et s'en occuper.

En sachant que cette crise peut parfois également survenir chez l'enfant « sensible » et « nerveux » qui n'obtient pas ce qu'il veut ou qui est frustré et très malheureux d'avoir été privé de ce qu'il voulait obtenir.

La douleur n'est ici plus physique mais morale...

Les régurgitations

Le reflux gastro-œsophagien (RGO)

Tous les bébés possèdent une aisance particulière à faire refluer le lait de l'estomac vers la bouche. Mais, ce reflux, s'il est important, peut entraîner des pathologies digestives et ORL, conséquences de l'acidité contenue dans l'estomac. Ce que l'on nomme volontiers RGO correspond en fait aux conséquences néfastes de cette particularité anatomique.

Selon la hauteur de remontée du lait et des sécrétions gastriques, les pathologies seront différentes :

▶ la brûlure acide de l'œsophage va entraîner une œsophagite responsable de difficultés à boire, de pleurs, de réveils nocturnes ;

▶ la remontée vers la bouche et le cavum va entraîner un pseudo-rhume, avec possible redescente dans les bronches.

Le reflux « physiologique »

De tout temps, bébé a renvoyé du lait après avoir bu. Et le « bavoir » faisait partie, il n'y a pas si longtemps, de la panoplie vestimentaire de bébé. Souvent amoureusement décoré de dentelles par les grands-mères d'antan, il était très utile pour protéger les brassières des dégâts digestifs programmés de bébé.

Aujourd'hui il n'y a plus de bavoir… Car si l'ère moderne nous a fourni les couches jetables, elle a « oublié » les bavoirs jetables !

Il faut dire que le bébé d'aujourd'hui se doit d'être rapidement très « mode ». Et qu'il ne saurait donc être question de cacher ces grenouillères, ces pyjamas tout-en-un aux figurines et aux dessins très «mignons», par un horrible bavoir…

Bref il n'y a plus de bavoir mais l'enfant crache, bave et rote joyeusement comme avant.

Pourquoi tous ces «crachouillis»?

Parce que la «plomberie» du bébé n'est pas encore au point! Il y a des fuites… Il manque un «joint» entre l'œsophage et l'estomac.

Normalement, aliments et boissons descendent dans l'œsophage, arrivent dans l'estomac et y restent… sans pouvoir faire le chemin inverse. Parce qu'il y a ce «joint», ce verrou de sécurité constitué par le sphincter du bas œsophage. Ce sphincter qui participe à l'organisation d'une sorte de clapet anti-retour.

Quand l'estomac commence son travail de digestion, il tonifie ce sphincter anti-retour et tend donc à le fermer. En même temps il ouvre l'autre sphincter, celui du pylore, qui peut «avaler» le contenu gastrique et l'emmener se promener dans les intestins.

Chez le nourrisson la jonction anatomique œsophage-estomac est immature. «L'écluse d'en haut» reste ouverte!

Faut-il s'inquiéter?

Non! Car l'enfant boit tranquillement, sans manifester de gêne, il a le nez propre, respire sans «bruit», et il ne tousse pas.

▶ Le lait est surtout régurgité juste après le biberon ou la tétée, le plus souvent à l'occasion d'un rot. La quantité rejetée est peu importante. L'enfant «bave» son lait qui s'écoule au coin de sa bouche.

▶ Il est possible parfois qu'un reste de lait soit rejeté longtemps après la fin de prise du biberon. Il s'agit alors d'un lait grumeleux, «caillé», déjà en partie digéré. Cela aussi est normal.

▶ Plus rarement, c'est un véritable «jet» de lait qui sera émis loin devant, assez impressionnant. Cet épisode reste acceptable, mais seulement s'il est unique, sans récidive.

À SAVOIR

Contrairement aux régurgitations, les vomissements s'effectuent souvent en jet, avec émission liquidienne brutale loin devant. Des vomissements en jet qui se répètent doivent conduire impérativement et rapidement à l'examen médical du nourrisson. On sort là du cadre normal des régurgitations et reflux.

Devant ces régurgitations, il ne faut surtout pas se dire : c'est le «trop-plein» qui déborde, je vais donc lui donner moins à boire. Non! Il faut continuer (sauf contrordre) de donner à l'enfant la quantité qu'il réclame.

Mais il faut par contre...

▶ Donner à boire un lait épaissi, choisi avec le médecin.

▶ Ne pas introduire de farine. Ce n'est pas la bonne méthode pour épaissir le lait! Car ces «farines» sont mauvaises à cet âge. Elles risquent d'entraîner des ballonnements qui viendront appuyer sur l'estomac et augmenter les régurgitations. Sans parler de possibles coliques ou constipation...

▶ Éviter absolument les jus de fruits, très nocifs pour la digestion du lait (le «jus d'orange», en fermant le sphincter pylorique, ralentit la digestion).

▶ Surélever le matelas du lit de l'enfant en plaçant coussin ou serviette sous le haut de ce matelas, afin de créer une pente de 15 à 20 degrés.

L'œsophagite

Que les régurgitations soient importantes ou non, une situation très précise doit retenir l'attention : c'est lorsqu'un enfant, tout en ayant faim, paraît gêné pendant qu'il boit. Il tète un peu puis s'arrête et pleure, il rejette sa tête en arrière, veut lâcher sein ou tétine, agite ses jambes, devient rouge de colère. Il boit à chaque biberon des doses moindres et réduit sa dose quotidienne totale. Chaque prise de biberon est une alternance de mouvements de succions puis de grimaces et de pleurs. Quand il dort, il se réveille brutalement et pleure de douleur.

Cet enfant veut boire parce qu'il est affamé mais ne peut continuer car il souffre. Ce n'est pas le lait qui ne lui plaît plus, il a mal ! Parce que le liquide acide fabriqué par l'estomac lors de la digestion remonte dans l'œsophage qui, lui, n'est pas habilité à recevoir une telle acidité.

La muqueuse de l'œsophage est ainsi devenue inflammatoire et très sensible. C'est une œsophagite. Dès que l'enfant boit, le lait qui descend dans cet œsophage abîmé déclenche douleurs et pleurs. Quand il est en position allongée et dort, les remontées acides sont facilitées et il se réveille.

Faux rhume, toux et bronchites

Parfois les conséquences sont liées à la remontée du lait dans la gorge et les fosses nasales, voire à la redescente dans les bronches par micro-inhalations (la fréquence du reflux dans les manifestations respiratoires de l'enfant est de 46 à 75 %).

L'enfant est alors « pris du nez », avec des narines encombrées ; ou il rumine, mâchouille, « ronronne », fait du bruit en respirant, surtout après avoir bu, tousse… Il peut même présenter des signes de bronchite à l'auscultation.

Il ne s'agit pas de parler de rhume, ni de donner d'emblée des antibiotiques, ni d'évoquer l'asthme… Il faut savoir mettre sur le compte d'un reflux ces problèmes de « gorge » ou de bronches, donc le traiter.

Le médecin de votre enfant, averti de ces problèmes pédiatriques, ne tombera pas dans le piège du traitement des symptômes induits, mais débutera immédiatement le traitement « anti-reflux » à l'origine des problèmes.

Des signes pathologiques sans régurgitations visibles !

Le lait remonte de l'estomac vers l'œsophage, mais ne s'extériorise pas. Il fait juste des « allers et retours » réguliers estomac-bouche. Difficile alors d'expliquer aux parents que les problèmes de leur enfant sont liés à du lait qui « remonte »… Le doute concernant cet avis médical et le traitement envisagé seront vite abandonnés dès que les parents verront leur enfant boire à nouveau superbement bien, le nez bien au sec, ne toussant plus et respirant de manière claire. Et surtout que les troubles ne récidivent plus !

À SAVOIR

Que les régurgitations soient importantes ou pas, ou même qu'il n'y en ait apparemment pas, un nourrisson de quelques semaines ou quelques mois qui est gêné pendant les prises des biberons, qui est souvent « enrhumé », qui fait du bruit en respirant, ou qui tousse est très suspect de reflux gastro-œsophagien pathologique. Et cela doit vous conduire à en parler rapidement au médecin.

Le traitement du RGO «pathologique»

▶ Traiter l'œsophagite pour que l'enfant n'ait plus mal: le médicament prescrit appartient à la classe dite des «inhibiteurs de la pompe à protons». On trouve deux produits majeurs: l'oméprazole (Mopral® 10) et l'esoméprazole (Inexium® 10). Ces produits n'ont pas officiellement l'agrément pour les enfants de moins de 1 an. Ils sont cependant prescrits aussi bien en milieu hospitalier qu'en médecine de ville chez les jeunes nourrissons, car ils sont les seuls efficaces.

Le test clinique sera de toute façon déterminant. En cas de succès, c'est bien la preuve qu'il y avait acidité douloureuse œsophagienne. Le médecin jugera du moment opportun de l'arrêt du traitement.

En cas d'échec du traitement, le pédiatre ou le gastro-pédiatre décideront s'il faut demander des examens ou changer de lait (éliminer les protéines du lait de vache).

À SAVOIR

La pH-métrie est un examen qui permet d'établir la réalité et l'importance d'un reflux. L'examen consiste à mesurer pendant 24 heures, à l'aide d'une sonde placée dans l'œsophage, l'importance de l'acidité qui remonte dans ce conduit. Si l'acidité est anormalement élevée, cela signe l'existence d'un reflux.

Cet examen est surtout utile dans les cas de bronchites à répétition chez le bébé. Si une bronchite est accompagnée d'une acidité importante mesurée à la pH-métrie, on peut raisonnablement conclure à la nécessité de traiter en priorité le reflux plutôt qu'à donner à répétition des antibiotiques.

▶ **Épaissir le lait:** l'épaississant permet le lait «remonte» moins facilement mais il faut choisir un épaississant sans farine. En fonction de l'importance des troubles, le médecin proposera un lait à formule épaissie ou l'introduction dans le lait habituel d'une poudre épaississante : Gumilk® ou Gelopectose®.

◗ **Agir sur l'estomac :** plusieurs médicaments existent, qui facilitent une vidange plus rapide de l'estomac, tels le Motilium® et le Péridys® (molécule active : dompéridone). L'algilate de sodium (Gaviscon®) est un protecteur de la muqueuse œsophagienne parfois efficace, mais son goût de fenouil est très peu apprécié par l'enfant.

◗ **Le positionnement de l'enfant dans son lit :** il est bien évident que si l'on place l'enfant « moins à plat », la tête plus haute que les pieds, le contenu de son estomac aura plus de mal à remonter vers le haut ! Vous placerez donc un coussin sous le matelas de son lit. Quand à la position sur le dos, elle n'a pas lieu d'être changée.

Ah! ces fameuses coliques...

Qui n'en a pas entendu parler? Bien connues de nos générations précédentes, elles appartiennent encore parfois aujourd'hui à cette mythologie d'épreuves douloureuses considérées comme quasi obligatoires chez nos chers petits. «Il a eu ses coliques», «il a fait ses dents»... Ouf! on peut souffler, il a franchi les premiers obstacles...

Mais non, bien sûr qu'elles ne sont pas obligatoires, ces coliques! en fait, elles correspondent à des douleurs digestives. C'est un spasme douloureux, survenant chez les jeunes nourrissons âgés de 15 jours à 2 mois le plus souvent, entraînant un tableau caractéristique: le nourrisson, après avoir bu sa ration de lait, s'est endormi, calme et serein. Brutalement il se réveille et se met à pleurer. Il devient vite rouge de colère et de douleur, s'agite en tous sens, remue ses jambes et les replie sur lui.

La crise va durer quelques minutes pendant lesquelles rien ne peut calmer l'enfant: ni les bras de la mère, ni le bercement, ni un peu de lait ou d'eau que l'enfant refuse.

Et puis doucement la crise cesse, l'enfant fini par se rendormir, épuisé. La mère aussi...

Le propre de ces coliques est leur répététivité. On croit que tout est rentré dans l'ordre, mais rapidement survient une nouvelle crise à l'identique, ces épisodes se répétant régulièrement plusieurs fois par jour.

Pourquoi et quand surviennent ces crises?

Pendant longtemps on a pu se permettre, à défaut de trouver une explication, d'avancer une cause psychologique, une perturbation de la relation mère enfant. Car ces crises ont la particularité de survenir plutôt en fin de journée, au moment ou l'activité domestique est maximale. De là à parler de stress du nourrisson, d'anxiété maternelle, le pas fut vite franchi.

Aujourd'hui on ne botte plus en touche «psy» et l'on reconnaît qu'il s'agit tout simplement d'un problème organique. Mais lequel? Il n'y a pas de réponse «officielle», on cherche… en s'orientant vers des considérations de métabolisme digestif, de manque de probiotiques, d'immaturité digestive.

L'attitude médicale pratique

Devant des signes de «coliques», le médecin proposera aux parents une attitude logique.

▶ Considérer qu'il peut s'agir de manifestations d'une œsophagite due à un reflux gastro-œsophagien, en instaurant un traitement d'épreuve anti-reflux et anti-acide. Dans de nombreux cas, les pseudo-coliques vont disparaître. L'enfant avait donc mal lors des remontées digestives acides de l'estomac vers l'œsophage. Dans plus de 50 % des cas, les «coliques» ne sont donc que les manifestations d'un reflux.

▶ Parfois, ce traitement anti-acide ne suffit pas ou n'est pas probant. Il faut dès lors envisager la possibilité d'une allergie aux protéines du lait de vache (voir p. 85), surtout si l'enfant est nourri partiellement ou totalement au biberon. Un traitement d'épreuve excluant totalement les PLV (protéines de lait de vache) donnera la réponse. Si les «coliques» s'arrêtent, l'enfant est donc temporairement intolérant aux PLV.

❱ En cas d'échec de ces traitements, parfois associés, les parents seront invités à emmener leur enfant consulter un gastro-pédiatre pour bilan plus approfondi.

Les coliques du nourrisson sont devenues un fourre-tout synonyme de pleurs et d'agitation chez le jeune bébé. La cause de ce problème ne réside pas obligatoirement, loin s'en faut, dans un désordre digestif métabolique du bas intestin, mais plutôt, soit dans des manifestations de reflux, très fréquentes, soit plus rarement dans des intolérances transitoires au lait de vache.

Parlons un peu de la constipation

Être «constipé», c'est avoir à la fois des selles peu fréquentes et dures. Avec pour conséquence, une gêne avant et pendant l'exonération.

Souvent une «fausse» constipation

Les selles sont peu fréquentes, mais de consistance normale. C'est le cas typique du bébé nourri au sein et qui ne fait des selles que tous les 2 ou 3 jours.

Habituellement l'enfant allaité par sa mère remplit régulièrement et allègrement ses couches peu de temps après la fin de la tétée. Dès qu'il a fini de boire, le rythme est immuable : le rot par en haut… et le gargouillis productif par en bas !

Mais parfois, «par en bas», au bout de quelques semaines d'allaitement maternel, ça coince ! Le rythme est perturbé, l'enfant pouvant n'émettre des selles que tous les 2 ou 3 jours. Ce qui certes économise des couches, mais inquiète rapidement l'entourage.

Que se passe-t-il ? Les selles du bébé nourri au sein étant particulièrement liquides, l'intestin a quelques difficultés, malgré ses mouvements ondulatoires, à faire avancer cette masse trop molle. Il se comporte alors comme un « sac » qui se remplit, s'élargit et se dilate… Jusqu'au point où le volume accumulé entraîne une gêne douloureuse.

Cette situation de transit ralenti n'est pas obligatoire ni, si elle survient, permanente pendant toute la durée de l'allaitement. Beaucoup d'enfants nourris au sein garderont un rythme d'émission de selles variable (1 à 6 selles par jour) mais régulier. Pour certains, le « sac », parfois, ne se videra pas aussi facilement.

Que faire ? Rien si l'enfant n'éprouve aucune gêne, et continue à boire sans problème.

Mais parfois le bébé, n'appréciant plus ce « bidon » trop tendu, commence à manifester des signes d'impatience et demande de l'aide. Dans ce cas, il ne faut surtout pas avoir recours au thermomètre pour « ouvrir le chemin », car il existe des risques d'ulcérations de la muqueuse ano-rectale ; il vaut mieux mais **donner un bain tiède, masser le ventre** de l'enfant dans le sens des aiguilles d'une montre et, en cas d'échec, donner un suppositoire de glycérine bébé.

La constipation vraie

Elle reste l'apanage des enfants nourris avec du lait artificiel ou de ceux qui, plus âgés, ont commencé un régime alimentaire diversifié. Les selles sont toujours peu fréquentes mais surtout fermes, voire franchement compactes, dures. Parce que ça « bouchonne en bas » ! L'enfant est gêné avant et pendant l'exonération.

En outre, comme les « gaz » restent aussi volontiers prisonniers, il existe souvent un ballonnement abdominal associé (météorisme), qui vient accentuer gêne et douleur.

Si la constipation est permanente et n'est pas réduite rapidement par de petits moyens, comme quelques **suppositoires de glycérine** ou une **eau plus minéralisée de type eau Hépar®** pour préparer les biberons, il faudra alors :

◗ soit **changer de lait** pour améliorer le transit, en choisissant un lait spécial transit ;

◗ soit **corriger une habitude alimentaire** mauvaise ou instaurée trop tôt. Par exemple diminuer la quantité de carottes ou supprimer les farineux.

En cas de constipation persistante malgré le traitement, le médecin pourra ordonner quelques explorations radiologiques complémentaires pour s'assurer de l'absence de toute anomalie dans cette «plomberie digestive basse».

L'allergie
au lait de vache

L'allergie au lait de vache (APLV) est la première allergie alimentaire pouvant apparaître chez le nourrisson. Elle est estimée de 3 à 5 % chez les enfants âgés de moins de 2 ans.

Un bébé nourri par sa mère recevra le lait idéal pour sa croissance. Le lait de vache, lui, restera toujours le lait idéal... pour le veau! La nature a ses lois biologiques incontournables.

Il n'est donc pas étonnant que les laits en poudre industriels, fabriqués à partir du lait de vache, malgré toutes les améliorations apportées pour se rapprocher de la composition du lait humain, contiennent des éléments propres à la race bovine que le bébé pourra peut-être ne pas supporter. L'allaitement maternel exclusif pendant au moins les quatre premiers mois de la vie est le donc « gold standard » pour éviter une APLV.

Les signes cliniques de l'APLV

Ils peuvent être :
▶ digestifs : régurgitations, vomissements, diarrhées ;
▶ cutanés : eczéma, œdème, urticaire ;
▶ respiratoires : toux, sifflements ; voire réaction allergique sévère comme un œdème laryngé, un malaise.

Si un ou plusieurs de ces signes coexistent, l'APLV sera d'autant plus évoquée que le nourrisson a moins d'un an, qu'il ne grossit pas bien, qu'il dort mal et qu'il est « irritable ».

La suspicion sera évidemment très forte si ces signes apparaissent rapidement au cours de la journée qui suit l'introduction d'un biberon, notamment au début du sevrage.

Le diagnostic biologique de l'allergie alimentaire

C'est lui qui apporte la preuve formelle. Mais les choses se compliquent quand on sait qu'il y a deux façons de prouver cette allergie. Il existe en effet des allergies dites «IgE-médiées», décelables dans le sang (avec le test Trophatop®) et des allergies non-IgE-médiées, décelables par des tests cutanés comme le Diallertest®, facilement réalisable par les parents (patchs cutanés à placer 48 heures sur la peau du dos de l'enfant).

Le test d'éviction des PLV

En supprimant les protéines du lait de vache (PLV), on s'aperçoit que l'état de l'enfant s'améliore nettement. Cette relation de cause à effet vaut diagnostic; il sera toujours temps de prévoir des tests biologiques plus tard pour confirmer le type d'allergie – et d'autres allergies alimentaires éventuelles.

S'il existait des signes de reflux, ceux-ci s'améliorent également, mais peuvent cependant nécessiter la poursuite du traitement spécifique pendant un certain temps.

En cas de manifestations cliniques brutales survenant lors de l'introduction de lait en poudre, telles que gonflement des mains, des pieds ou du visage, urticaire ou rougeur cutanée, l'arrêt de ce lait doit être immédiate. Le seul traitement consiste à éliminer les PLV de l'alimentation de l'enfant.

Si l'allaitement maternel ne peut pas être repris à 100 %, il faut donner à l'enfant un lait spécial sans PLV pendant au moins 6 mois.

Quels laits donner ?

Jusqu'à peu de temps, les médecins n'avaient à leur disposition que des laits qui contiennent des PLV au départ, mais dont les protéines ont été «cassées» par un procédé d'hydrolyse plus ou moins poussée. Les fragments de protéines résiduelles perdaient ainsi, selon le degré d'hydrolyse, leur pouvoir allergisant.

De nombreux laits de ce type existent encore ; ils sont plus chers mais en partie remboursés par la sécurité sociale (50 %). Parmi ces laits, citons : Alfaré® (Nestlé), Pepti Junior® (Nutricia), Pregestimil®, Nutramigène® (Mead Johnson), Galliagène Progress® (Gallia), Allernova® (Novalac), Nutriben APLV® (Nutriben), Neocater (SHS International).

Ces laits présentent cependant deux inconvénients : leur goût très difficile à faire accepter à l'enfant et la présence de résidus de PLV. Aujourd'hui la situation est beaucoup plus simple ! Les médecins ont à leur disposition un lait qui ne contient plus du tout de PLV. Celles-ci ont été remplacées par des protéines de riz. Il s'agit des laits Modilac Riz® et Novalac Riz®. Leur acceptabilité est meilleure, leur prix quasi identique aux laits normaux du commerce, leur disponibilité sans ordonnance. L'avantage de ces laits est énorme : l'assurance 100 % sans PLV et à moindre coût.

Quels laits ne pas donner ?

Certains parents sont tentés, pour prévenir une action délétère possible des PLV, de donner des laits particuliers, dits hypoallergéniques (HA). Ces laits sont souvent proposés en relais de l'allaitement maternel ou d'emblée, pour prémunir l'enfant de la survenue d'incidents allergiques.

Si l'enfant pousse bien, ne présente aucun signe évocateur d'une APLV, ces laits peuvent être donnés sans problème (ils sont néanmoins assez liquides et peuvent favoriser des régurgitations). Mais si l'APLV est suspectée, ils ne sont pas adaptés car ils ont été partiellement hydrolysés et contiennent donc toujours des PLV. Ces laits sont donc à exclure si L'APLV est prouvée, surtout si des manifestations cliniques importantes ont été notées.

Les laits de soja sont eux-mêmes souvent allergisants et ne sont pas non plus la bonne solution.

Les laits de chèvre, brebis, ânesse ou jument sont totalement déséquilibrés au niveau nutritionnel.

Enfin, les faux laits d'origine végétale (amande, châtaigne, etc.) représentent un risque grave pour la santé de l'enfant. Ils sont nuisibles et dangereux.

Quand réintroduire le lait de vache ?

Dans la plupart du temps l'intolérance aux PLV n'est que passagère. Vers 9 mois-1 an, l'enfant pourra reprendre une alimentation lactée standard. Mais cette reprise n'aura lieu qu'après des tests de réintroduction effectués de manière progressive.

Si les manifestations allergiques initiales étaient importantes, ces tests de réintroduction se feront sous surveillance hospitalière.

Les petits ennuis

Le bourgeon ombilical

Il peut arriver qu'après la chute de l'ombilic, le centre du nombril ainsi constitué soit occupé par un petit nodule blanchâtre, plus ou moins suintant. Ce bourgeon est banal et correspond à une hypercicatrisation de la zone de rupture du cordon.

Le traitement est simple. Non plus le bâton de nitrate d'argent d'antan, mais le badigeonnage de ce bourgeon avec un coton-tige imprégné de Bétadine® dermique deux fois par jour pendant quelques jours.

Le nombril qui « sort »

Ici le nombril n'est pas rétracté normalement, c'est-à-dire en rond joliment plissé, mais sort en balle de ping-pong. Surtout lorsque l'enfant contracte son ventre, c'est-à-dire quand il pleure.

Cette petite hernie n'a rien de dangereux. Même si en appuyant dessus cela provoque un « glou-glou » très peu apprécié par les mamans… Elle correspond à l'extrusion de la zone intestinale centrale du ventre, rendue possible par l'immaturité transitoire des muscles abdominaux.

Les deux muscles longs qui vont du sternum au pubis ne sont en effet pas encore collés comme ils le seront plus tard. Il persiste ainsi, le long de cette ligne médiane ventrale, une faiblesse physiologique normale et transitoire. Et cette faiblesse est maximum dans cette région du nombril. Que l'enfant pousse alors, en pleurant, avec son bidon tendu rempli de lait, et la paroi musculaire s'ouvrira pour laisser sortir la « bulle ».

Le traitement est simple. S'il s'agit d'une petite cerise… On ne fait rien. Si la taille est plus importante, telle une balle de ping-pong, le mieux est de créer une paroi artificielle. En poussant doucement dans le ventre la hernie avec un doigt quand l'enfant est calme, puis en la fermant avec un ruban collant pour passer en pont au-dessus d'elle. En tout cas, ne jamais placer sur la hernie un « bouchon » : boule de gaze, de caoutchouc, pièce de monnaie ou autre gadget, qui n'auraient d'autre effet que d'agrandir le « trou ».

La « crise génitale »

Il s'agit souvent d'un simple gonflement des glandes mammaires survenant chez certains bébés, quelques heures ou quelques jours après la naissance. Le bébé, fille ou garçon, a des petits seins gonflés et tendus. D'où peut d'ailleurs parfois sortir un peu de lait. La déturgescence survient en quelques jours sans rien faire. Aucun traitement n'est nécessaire. Surtout il faut s'abstenir de toute manœuvre de pression manuelle ou de compression par bandage, ce qui pourrait entraîner la formation d'un abcès.

Outre cette poussée mammaire, on peut observer chez la petite fille des pertes vaginales blanchâtres ou rosées, équivalentes à des petites règles.

Toutes ces manifestations sont dues à la disparition de l'imprégnation hormonale maternelle acquise pendant la grossesse.

« L'acné » du nourrisson

Petit problème transitoire d'esthétique, appelé aussi folliculite du visage, il perturbe quelque peu le joli minois de nos petits bouts entre l'âge de 15 jours et 1 mois et demi.

Associant rougeurs, petits boutons, pointes blanches, épiderme grumeleux, ce petit problème de peau est dû, là aussi, à la chute de l'imprégnation hormonale maternelle. C'est donc un peu de l'acné à l'envers… de ce que subira notre futur adolescent plus tard, en rapport cette fois avec ses propres hormones.

Disparaissant spontanément en une quinzaine de jours, il n'y a cependant pas de raison pour ne pas vouloir redonner à notre bébé son teint de pêche le plus rapidement possible, surtout si la flambée cutanée est importante.

Le traitement doit rester simple, uniquement cosmétologique : application sur les zones atteintes de produits tels que le Dalibour® (eau ou crème), et préférence pour les laits doux dans le nettoyage du visage, en évitant la grosse cavalerie des laits de toilette industriels « pour bébés ». Dans quelques cas, un traitement local anti-inflammatoire de quelques jours pourra se justifier, notamment en cas de folliculite « flamboyante ».

Le muguet

Les belles petites clochettes blanches ont élu domicile… dans la bouche de l'enfant! Quoi de plus normal pour la mère de penser que ce blanc observé à l'intérieur des joues et sur la muqueuse des lèvres correspond à un reste de lait. Sauf qu'il s'agit d'un « muguet », c'est-à-dire d'une infection mycosique due à un champignon : le *Candida albicans*.

Aucun manque d'hygiène n'est responsable : ni la stérilisation, ni la « totote » ne sont en cause. Seul est en cause un déséquilibre de la flore intestinale qui a permis à ce *Candida*, présent dans l'organisme, de se développer de manière trop abondante.

Le traitement est nécessaire, l'invasion de ce champignon pouvant entraîner des selles molles, un érythème fessier, des spasmes intestinaux, une perte d'appétit. Plusieurs médicaments sont disponibles : Fungizone®, Mycostatine®, Daktarin® gel buccal.

Le muguet va disparaître rapidement de la bouche de l'enfant, mais il faudra continuer le traitement pendant une dizaine de jours, pour être sûr d'avoir stérilisé, ou tout du moins rééquilibré, tout le tube digestif. Et pour éviter des récidives assez fréquentes.

L'œil qui « coule »

Dans les premières semaines de vie, il arrive fréquemment que l'œil soit embué par un voile de liquide clair et transparent. Comme des larmes ! Notre petit bout n'est pas triste… Mais son canal lacrymal ne fonctionne pas bien. Les sécrétions normales de l'œil ne peuvent pas être évacuées normalement à travers le « vidoir » naturel, situé à l'angle oculaire interne, là où se trouve l'entrée du canal lacrymal. Ce phénomène peut atteindre un seul œil ou les deux yeux. Sa durée est variable. Plusieurs jours, plusieurs semaines, plusieurs mois…

Si l'obstacle à l'écoulement se prolonge, une surinfection peut survenir. L'enfant présente alors, surtout le matin au réveil, des paupières envahies et « collées » par une sécrétion jaunâtre. Parfois, le canal est complètement obstrué. L'angle interne de l'œil est alors gonflé par la tuméfaction du sac lacrymal qui ne peut se vider. C'est ce que l'on appelle une « dacryo-cystite ».

Le traitement de base, c'est le sérum physiologique oculaire : Dacryosérum®, Dacudoses®. Utilisé plusieurs fois par jour, il évite la stagnation des sécrétions et donc leur surinfection.

Si la surinfection survient, avec paupières collées et angle interne comblé par un liquide plus épais et jaune, la prescription d'un collyre anti-infectieux s'avère souvent nécessaire pendant quelques jours, pour éviter un cercle vicieux. Car l'infection provoque à son tour une inflammation, qui ne pourra que réduire encore plus la perméabilité du canal. Un collyre comme la Rifamycine® (2 gouttes deux fois par jour) réduira cette poussée infectieuse en quelques jours. Les prélèvements et études bactériologiques des germes sont la plupart du temps inutiles.

Quand les choses durent, les parents, un peu lassés par le nettoyage et l'arrosage oculaire permanents, deviennent vite demandeurs d'une solution plus radicale : la désobstruction définitive de ce fichu canal ! Effectuée par l'ophtalmologiste, cette désobstruction est obtenue en allant dilater le canal. Mais ce geste n'est pas simple sur un tout petit bout et, surtout, les récidives sont fréquentes. Il vaut mieux donc s'armer de patience, utiliser sérum physiologique et collyre, masser éventuellement doucement l'angle interne de l'œil et attendre les 9 mois du bébé. À cette date, il est rare que l'assèchement ne soit pas obtenu. Si rien n'a bougé, la dilatation se justifie.

APPLIQUER UN COLLYRE À UN BÉBÉ

Chez l'adulte ce n'est déjà pas très simple, mais aller appliquer des gouttes chez un nourrisson qui bouge la tête et qui ferme les yeux, il faut là quelques doses de patience et d'ingéniosité.

Le mieux, c'est d'être deux. L'un fixe la tête de l'enfant, l'autre, ayant attendu une bonne ouverture des yeux verse une ou deux gouttes dans l'œil. Et si l'enfant refuse obstinément d'ouvrir les yeux, il suffit de déposer la goutte de collyre dans le petit espace creux qui sépare le nez de l'œil et d'attendre... L'enfant finira par ouvrir l'œil, et le bon... Et le liquide s'y versera de lui-même.

La conjonctivite

C'est une autre cause d'écoulement oculaire. Cette fois, le «blanc» de l'œil est ici devenu… rouge. Et les deux yeux sont atteints. Due à un virus qui adore les collectivités d'enfants, cette conjonctivite est bien connue – et redoutée – des directrices de crèche… Le traitement reste le même, en n'oubliant pas de bien laver le nez.

T'AS DE BEAUX YEUX TU SAIS! BLEUS?

Dites-moi, docteur, ses yeux bleus, il va les garder? Pour répondre à cette question, très fréquente de la part des parents, il suffit d'éclairer les yeux du bébé avec un pinceau de lumière… pour souvent ruiner cet espoir d'une coloration oculaire très prisée. Non, madame, votre enfant a les yeux marron! Pour le bleu viking, désolé! Les parents s'en remettent vite, il aura les yeux de sa mère ou de son père.

En éclairant avec un rayon de lumière l'œil de l'enfant de 2-3 mois il est facile de détecter le début de coloration de l'iris. Et là, de deux choses l'une: si une pigmentation marron est déjà visible, c'est l'adieu définitif aux yeux bleus, et la certitude d'un œil foncé: marron plus ou moins clair, ou plus foncé, presque «noir»; s'il n'y a pas de pigmentation marron débutante, le débat reste entier. Les yeux peuvent rester bleus, ou «virer» dans les semaines qui viennent au vert, au gris, au bleu-vert, au bleu-gris. La génétique décidera.

Il suffira aux parents, s'ils le souhaitent, d'éclairer de temps à autre l'œil de leur enfant pour y voir plus clair!

Les «croûtes de lait»

Il s'agit d'un dépôt de sébum s'accumulant en plaques sur le dessus du crâne. Et qui n'a strictement rien à voir avec le lait, qu'il soit maternel ou artificiel. Shampooings réguliers et brossage doux des cheveux doivent éviter leur apparition.

Si le dépôt est important, l'application d'un produit légèrement « décapant » pourra être instauré pendant quelques jours

Dans ce décapage, un produit fut longtemps utilisé : la vaseline salicylée. Très efficace mais très « graisseuse », véritable motte de beurre sur le crâne de nos petits bouts… Et très difficile à laver. Certains produits seront donc préférés : Kelual®, voire Diprosalic®.

Il faudra de toute façon multiplier le brossage de la région. Mais les mamans n'aiment pas intervenir sur cette région du crâne où se situe la grande fontanelle. C'est mou, c'est creux, et il y a le cerveau en dessous !

Aucune crainte à avoir cependant, le cerveau est bien protégé. Ne serait-ce pas justement cette peur qui, en incitant les mamans à « occulter » le lavage de cette zone, favoriserait ainsi l'arrivée de ces croûtes ? Et qui conduirait les mères à se contenter d'une application d'huile d'amande qui, pour être « douce », n'en est pas moins totalement inefficace ?

L'érythème fessier

Pas un bébé n'échappera à ces pauvres petites fesses rouges, irritées, douloureuses ! Parmi les multiples causes : la poussée dentaire, les diarrhées, le muguet, la chaleur, le gros dormeur qui va accumuler « l'humidité » et l'industrie américaine avec ses couches anti-fuites parfois un peu trop « occlusives ».

Lavage et tartinage du « siège » avec une pâte à l'eau de type Mitosyl®, Oxyplastine® ou Bépanthène® permettent la plupart du temps d'éviter le contact trop rapproché de la peau avec les selles et les urines.

Mais si le « feu » s'est malgré tout installé, un traitement de quelques jours sera nécessaire, associant selon les cas :

▶ asséchants : éosine, solution de millian, permanganate de potassium ;
▶ pommades : antibiotiques, anti-inflamatoires, antifungiques ;
▶ couches changées plus souvent, voire fesses à l'air et ventilées avec le sèche-cheveux.

Les gestes interdits

Manier le coton-tige...
pour nettoyer les oreilles

Cet instrument est à prohiber! Totalement! Même si vous utilisez ces nouveaux cotons tiges «pour bébés», moins longs et avec butée soi-disant de sécurité. Même si vous ne l'utilisez «qu'au bord».

Pourquoi cet ostracisme?

▶ Parce qu'en introduisant le coton-tige dans le conduit auditif, vous ne pouvez que pousser sécrétions et cérumen vers le fond du conduit et organiser tôt ou tard, mais de manière certaine, un beau bouchon.
▶ Parce que même en restant «au bord», les petites saletés que vous avez décollées iront tomber dans le conduit.
▶ Sans parler des irritations possibles du conduit ou de la caisse du tympan.

Que faut-il utiliser?

Du coton sans tige, roulé légèrement en pointe et humidifié avec du sérum physiologique, en effectuant un geste qui partira de l'entrée du conduit, pour revenir vers l'extérieur. Liberté totale par contre pour utiliser le coton-tige derrière les oreilles... Allez-y! Frottez!

«Secouer» le bébé

Le nourrisson est un grand joueur! Et jouer avec son bébé, quoi de plus naturel! Et de plus sain! Dès que l'on a trouvé les gestes qui déclenchent chez lui sourires et franche rigolade, on recommence… Et à chaque fois l'on gagne ! L'enfant en redemande et ne se lasse pas. Si bien qu'on peut se laisser aller parfois à quelques surenchères pour continuer ce jeu…

Mais certains gestes doivent être prohibés, car ils sont extrêmement dangereux. En particulier, il ne faut pas « secouer » le bébé. Qu'il soit assis sur vos genoux ou tenu à bout de bras, il ne faut pas l'entraîner dans des mouvements trop brutaux d'avant en arrière… ou latéraux… ou verticaux. Car la tête ne « suit pas » ! Elle n'est pas assez soutenue par des muscles du cou encore fragiles. Et les ruptures d'alignement de la tête par rapport au reste du corps peuvent provoquer un « cisaillement » vertébral tout à fait dangereux. Quand au cerveau, s'il est « blackboulé » dans sa caisse osseuse, il peut recevoir des chocs très nuisibles.

Cette pathologie du « bébé secoué » est maintenant bien connue. Depuis que l'on a pu rapporter certains désordres neurologiques graves à des secousses gestuelles, apparemment anodines. Donc prudence, on joue, mais on ne secoue pas !

Placer un collier autour du cou

Le marché du collier d'ambre, vrai ou plutôt faux, se porte bien ! Paré de vertus qui n'engagent que ceux qui y croient, ils fleurissent autour du cou de nombreux bébés. C'est le gri-gri moderne qui a remplacé les colliers religieux d'antan. Oui, mais tous ces colliers sont dangereux ! De nombreux cas d'étranglement ou d'étouffement par inhalation des petits éléments rompus sont rapportés chaque année. Prendre un tel risque pour soi-disant remédier à des douleurs de poussée dentaire est totalement disproportionné.

Pieds, jambes
et hanches

Ces petits petons si mignons… sont, il faut en convenir, parfois un peu « tordus » à la naissance…

À l'exception du pied-bot, qui est une déformation majeure de l'arrière pied, entraînant la totalité du pied vers l'intérieur et qui nécessite une prise en charge orthopédique urgente, la majorité des petits problèmes qui peuvent survenir resteront transitoires et d'évolution rapide grâce à un traitement relativement simple.

Ces déformations sont la conséquence d'une contrainte utérine sur les pieds du fœtus qui se retrouvent ainsi « coincés » en mauvaise position contre la paroi de l'utérus.

Les déformations les plus fréquentes

▶ **Le métatarsus varus** : l'avant du pied « tourne » vers l'intérieur. Le traitement consistera à stimuler le bord externe du pied pour susciter des mouvements spontanés en sens inverse, avec le doigt ou une brosse à dents. Si la déformation est plus franche, l'on pourra placer pendant quelques semaines un bottillon spécial articulé : bottillon Bebax®, qui permet de repositionner le pied progressivement dans la direction voulue. La kinésithérapie est surtout utile les premiers jours.

▶ **Le pied talus** : le pied est ici relevé contre la jambe. Le traitement est simple : il suffit de placer une boule de coton entre le pied et la jambe pendant quelques jours et d'effectuer des manœuvres douces de «dépliage» du pied au moment de la toilette.

▶ **Le pied valgus**: l'avant du pied bascule ici vers l'extérieur. Le traitement associera kinésithérapie précoce, plus bottillon si la déformation est importante.

Dans tous les cas, quelle que soit la déformation constatée, une échographie des hanches du bébé sera rapidement demandée pour s'assurer que la contrainte exercée sur les pieds ne s'est pas propagée, en «remontant», sur le bassin.

Comment et quand chausser ces petons?

Avant l'âge de la marche ou de la station debout plus ou moins assurée, point n'est besoin de se précipiter pour lui acheter de «vraies» chaussures. L'important, c'est de garder les pieds au chaud en leur laissant leur liberté de mouvements, grâce aux chaussettes.

Vers 7/8 mois, si l'enfant est un fana du baby-trotteur

Utilisez des chaussettes avec petits picots antidérapants (les fabricants de chaussures «sportives» ont étendu leur marché, en proposant pour nos futurs champions des bottines souples supermode avec petits picots).

Dès que l'enfant apprécie la station debout

Des semelles plus rigides vont pouvoir l'aider dans sa recherche de l'équilibre et créer cette isolation nécessaire entre le pied et le sol. Mais des semelles plus rigides ne signifient pas «grosses chaussures montantes». Il ne faut pas céder aux conseils soi-disant médicaux des marchands qui voudront absolument vous faire acheter des chaussures qui «maintiennent» la cheville. La fonction créant l'organe, un pied trop rigidifié par une chaussure plâtre ne bouge plus et ne se fortifie pas. Les enfants africains qui cavalent pieds nus n'ont aucun problème de faiblesse de pied. L'important se situe dans l'assise et le confort de la plante du pied. Donc dans la qualité de la semelle intérieure de la chaussure et de son contrefort interne.

Quand il est mûr pour faire ses premiers pas

Évitez les semelles de gomme ou de «crêpe», surtout si le sol est une moquette. Il accrocherait trop souvent le sol avec l'avant de sa chaussure et tomberait en avant.

Les jambes

Elles peuvent parfois apparaître un peu arquées, en virgule. C'est tout à fait normal dans les jours et semaines qui suivent la naissance, car l'enfant ne s'est pas encore complètement… déplié. Il faut dire qu'en fin de grossesse il était un peu à l'étroit dans le ventre de sa mère, ses jambes repliées dans une position «yoga» expliquant cette arcature néonatale tout à fait naturelle. Vers l'âge d'un an, les jambes auront un aspect parfaitement «droit».

Si, au cours des mois suivants, les jambes gardent un aspect arqué notable, il faudra :

❱ vérifier la rectitude du bord antérieur du tibia par le palper clinique – en s'aidant au besoin d'une radio pour confirmation ;

❱ s'assurer de la prise régulière de vitamine D pour confirmer : qu'il n'y a **pas de rachitisme** (anomalie osseuse par déficit en vitamine D) ; que l'**axe du tibia est bien droit** ; et qu'il s'agit en fait, comme très souvent, d'**une fausse arcuature** liée à l'importance du «bourrelet» de chair sur le côté externe de la jambe.

Les hanches

Ce qu'il faut absolument éviter et donc dépister tôt, pour la traiter à temps, c'est la luxation de hanches. Lors de l'examen néonatal en maternité, les manœuvres cliniques de dépistage sont systématiques. Pour certains nouveau-nés, une échographie des hanches sera plus rapidement demandée, parce qu'il y a des risques bien connus : enfant né par césarienne ; enfant né «en siège» ; déformations des pieds ; contexte familial de «problèmes de hanches» ; contexte patronymique, tels les Bretons qui auraient la hanche moins «trempée» que leur caractère... Pour tous les bébés, un contrôle échographique sera prévu à 1 mois.

En cas d'anomalie, suspectée ou évidente, une consultation d'orthopédie infantile est nécessaire.

Le traitement de toute luxation ou de toute hanche considérée comme «instable» consistera à placer et à maintenir les hanches en «abduction» (coussin d'abduction) avec cuisses écartées, pour assurer une adhérence en bonne position entre le bassin et la tête du fémur.

Les règles
du bon portage

Le portage ventral

Qu'il s'agisse d'une écharpe, d'un porte-bébé plus rigide ou d'un gilet porte-bébé, certaines règles sont à respecter pour le confort de la mère et du bébé :

▶ l'enfant doit être positionné haut, sa tête sous le menton de la maman ;

▶ bébé est en position fœtale, les cuisses bien remontées et toujours soutenues, le dos également soutenu ;

▶ la mère n'est pas entraînée en avant avec mouvement d'équilibrage en arrière et poussée malheureuse vers son périnée.

Lorsque l'enfant grandit, l'écart et le soutien des cuisses doivent persister ; il faut éviter que l'enfant soit soutenu par son périnée, que l'appui se fasse chez le garçon sur... ses testicules !

Le portage ventral, l'enfant tourné vers l'avant, est mauvais. La tête de l'enfant est projetée vers l'avant ; le poids du corps appuie trop vers le bas.

Le portage dorsal

Il est le plus physiologique. Mais il n'est pas apprécié par les mères occidentales, car on ne voit pas l'enfant... sauf à installer des rétroviseurs.

Une peau de bébé!

C'est le modèle cutané parfait recherché par les adultes et les fabricants de produits cosmétologiques: une peau lisse, douce, élastique. Mais cette peau est fragile et nécessite des soins particuliers.

Particularités physiologiques

▶ La peau est encore immature et diffère de celle de l'enfant âgé et de l'adulte; la maturité sera complète vers 10 ans.

▶ L'épiderme et la couche cornée sont plus fins; la perméabilité de la peau est augmentée aux produits déposés ou aux agents infectieux.

▶ Le pH de la peau est alcalin et augmente la sensibilité aux infections.

▶ Les glandes sudoripares sont présentes mais peu fonctionnelles et n'évacuant suffisamment pas la chaleur corporelle.

▶ Les glandes sébacées sont au contraire très actives et produisent du sébum parfois en excès.

▶ Les cellules pigmentaires, les mélanocytes, ne produisent pas de mélanine pour protéger des rayons ultra-violets (rayons UV).

▶ Le rapport entre la surface cutanée et le poids est multiplié par trois à cinq chez les nouveau-nés, ce qui correspond à une surface d'échange avec l'extérieur très importante et donc à une concentration plasmatique plus élevée des produits appliqués sur la peau.

Les soins d'hygiène cutanée du nourrisson

Les ongles

On peut couper les ongles d'un nouveau-né, dès la maternité, mais oui ! Ils sont mous, donc il faudra être attentif à ne pas provoquer de blessures.

Les tailler évitera les griffures cutanées et conjonctivales, sans être obligé de couvrir les mains du bébé de gants de boxe…

Le bain

Il peut être quotidien, mais un bain tous les 2 jours est suffisant. Un bébé se salit peu ! L'utilisation d'un savon surgras non alcalin est recommandée. De même qu'une crème hydratante.

Les shampooings

Ils sont étudiés pour minimiser les brûlures oculaires ; mais l'usage d'un savon est parfaitement acceptable.

Le siège

L'utilisation répétée de lingettes peut, à la longue, induire une dermite caustique. On évitera les produits au pH basique. Pas de séchage au sèche-cheveux !

Le nævus pigmentaire congénital

Le nævus pigmentaire congénital est la conséquence d'une prolifération anormale de cellules pigmentaires de la peau (mélanocytes). Ces cellules sont venues infiltrer plus ou moins profondément les différentes couches de la peau.

L'enfant naît avec une zone pigmentée brun noirâtre sur une partie du corps. N'importe quelle partie du corps peut être touchée. La surface de la zone atteinte est souvent limitée, mais peut être étendue (nævi géants).

La zone pigmentée est soit homogène, uniformément colorée, ou associe des zones plus ou moins marron foncé plus ou moins noirâtres. Il existe parfois une zone pilleuse associée.

L'évolution

Le nævus ne s'étend pas de lui-même à proprement parler. Il augmente sa surface proportionnellement à la zone anatomique sur laquelle il est implanté. L'importance et le lieu de la surface atteinte déterminent la nécessité ou non d'une action chirurgicale, le type de chirurgie et surtout l'âge auquel intervenir avant que la surface à traiter ne soit devenue trop importante.

La surveillance reste fondamentale, les parents devant amener l'enfant en consultation s'il y a une modification de la zone pigmentée.

Le traitement

Il est uniquement chirurgical. Le choix de la date de l'action chirurgicale est le problème principal: ne pas agir trop précocement, mais ne pas trop attendre non plus car la surface à traiter va devenir plus importante. La «fenêtre de tir» sera discutée avec les parents et l'équipe dermatologique et chirurgicale.

Pour les petits nævi, la chirurgie se fera en un seul temps, la souplesse de la peau permettant de rapprocher facilement les bords de la zone enlevée. Pour les grands nævi, la chirurgie devra souvent se faire en plusieurs temps et utilisera toutes les techniques de la chirurgie dermatologie et des greffes cutanées ou cellulaires (culture de cellules kératinocytaires).

Les hémangiomes infantiles

Ce sont les lésions tumorales les plus répandues chez l'enfant (de 7 à 10 %). Ils sont plus fréquents chez la fille et sur les peaux blanches. Ils atteignent dans 60 % des cas la région cervico-faciale.

La forme classique

C'est une tuméfaction rouge écarlate (fraise) à la surface mamelonnaire, irrégulière.

Son mode évolutif est très caractéristique : la lésion est soit inexistante à la naissance soit se présente sous la forme d'une petite tache rouge discrète. La lésion va ensuite augmenter rapidement pendant plusieurs mois. Puis, l'hémangiome va se stabiliser et des zones blanchâtres vont apparaître à sa surface. C'est le début de l'involution.

La régression demandera plusieurs mois. Pour les petits hémangiomes, la « restitutio ad integrum » est la règle. Pour les grandes surfaces atteintes, des cicatrices résiduelles peuvent se constituer et pourront nécessiter une action plastique chirurgicale ultérieure.

Des localisations dangereuses peuvent être sources de problème. Les hémangiomes « en barbe » : bas du visage, lèvre inférieure et cou doivent ainsi faire rechercher une localisation laryngée en urgence car il existe un risque d'asphyxie. Les hémangiomes atteignant les paupières et empêchant l'ouverture correcte de l'œil nécessitent un examen ophtalmologique (risque d'amblyopie).

Les complications qui peuvent survenir correspondent essentiellement aux ulcérations, notamment dans certaines localisations à risque comme la lèvre inférieure.

Les associations à d'autres malformations sont à rechercher en cas d'hémangiomes multiples et de petite taille, et en cas d'hémangiome volumineux.

Le traitement

Si, pour les petits hémangiomes à localisation non dangereuse, il n'y a rien d'autre à faire que d'attendre leur disparition, il va tout autrement pour les hémangiomes volumineux, de grande surface, de localisation dangereuse (cou, œil) ou gênante (lèvres). Pour ces types d'hémangiomes, les seuls traitements proposés jusqu'à présent étaient sans grande efficacité, représentés essentiellement par la corticothérapie par voie générale.

Le Propranolol® est un médicament utilisé en cardiologie et qui appartient à la classe des bêtabloquants. Il a récemment prouvé son efficacité rapide et très importante sur les hémangiomes nécessitant une action urgente : hémangiome en barbe et hémangiome palpébraux avec occlusion de l'œil. Cette découverte fortuite va sans doute révolutionner à court terme la conduite thérapeutique des hémangiomes.

Les angiomes plans

La lésion rouge est plane, lisse, fixée, sans évolution extensive. Elle peut atteindre toutes les zones du corps. Le traitement des angiomes plans importants et disgracieux repose sur le laser à colorant pulsé. Il sera débuté tôt pour améliorer les chances de succès.

L'eczéma

Appelé autrefois eczéma constitutionnel, cette maladie est plutôt dénommée aujourd'hui dermatite atopique ou eczéma atopique.

Le mot atopie signifie «prédisposé aux allergies». 50 à 70 % des enfants souffrant de dermatite atopique ont un parent proche qui est ou a été lui-même atteint. Nous sommes donc dans le cadre d'une allergie cutanée, ce qui implique deux questions: pourquoi cette allergie? allergie à quoi?

L'eczéma atopique est fréquent chez l'enfant. De 15 à 30 % des nourrissons européens sont touchés, et ces chiffres sont en constante augmentation, d'une part parce que les «atopiques» font des enfants, d'autre part parce que le milieu environnant contient de plus en plus de facteurs allergisants: allergènes «modernes» qui viennent s'ajouter aux allergènes «naturels». Il est à ce propos édifiant de constater que la fréquence de la maladie augmente avec le niveau socio-économique.

Les localisations

La dermatite atopique commence généralement chez le nourrisson de trois mois et atteint essentiellement le visage: le front, les joues, le menton. La face externe des bras et des cuisses est souvent atteinte, plus exceptionnellement la quasi-totalité de la surface corporelle. Chez l'enfant plus grand, les plis du cou, des genoux, du poignet sont préférentiellement atteints.

Les types de lésions

Au début, il ne s'agit que d'une simple rougeur avec peau rugueuse. Puis survient une phase plus humide, suintante. Enfin une phase croûteuse.

Ces lésions «démangent» et peuvent entraîner chez le nourrisson qui ne sait ni où ni comment se gratter, des excitations, des geignements ou des troubles du sommeil.

Les causes

Les bébés atopiques sont génétiquement prédisposés, car le terrain familial est lui-même atopique.

La peau du bébé, génétiquement altérée, est comme une «éponge sensibilisée» qui laisserait passer trop de substances nocives et réagirait de manière excessive. En effet, les deux caractéristiques de l'atopie cutanée sont:

◗ Une perméabilité cutanée augmentée par diminution des graisses de surface. La filaggrine, molécule qui permet à la couche cornée de l'épiderme d'être imperméable, est altérée chez l'atopique.

◗ Une réactivité anormale à tout ce qui arrive désormais à franchir l'épiderme: pollens, poussières, savons, sueur, détergents, tissus rêches, avec déclenchement d'une réaction inflammatoire allergique.

L'évolution

Elle est le plus souvent favorable. L'eczéma atopique évolue en alternant poussées et phases plus calmes, mais cela peut durer plusieurs mois ou plusieurs années, sans que l'on puisse prévoir l'âge de sa disparition.

Le grattage peut entraîner des lésions de surinfection bactérienne par le staphylocoque doré (impétigo), virale (virus de l'herpès).

La «marche atopique» veut que l'atopie cutanée se caractérise par un caractère chronologique des manifestations cliniques dans l'enfance: le nourrisson souffre surtout de dermatite atopique ou eczéma atopique, l'enfant d'âge préscolaire ou en début de scolarité d'asthme et le plus grand enfant de rhinite allergique.

Le traitement par dermocorticoïdes

▶ Il faut traiter tôt par le seul traitement anti-inflammatoire efficace : les crèmes ou pommades à base de corticoïdes, ou dermocorticoïdes. En choisissant plutôt les crèmes sur les lésions suintantes et les plis, plutôt les pommades sur les peaux sèches ou épaisses.

▶ **Application :** une fois le soir au coucher ou après le bain.

▶ **Durée du traitement :** elle sera courte mais suffisamment prolongée pour entraîner la disparition complète des lésions. Arrêter trop tôt le traitement et remplacer les dermocorticoïdes par des émollients alors que la peau est toujours inflammatoire sera contre-productif, la peau réagissant alors mal à un nouveau produit jugé agressif.

FAUT-IL AVOIR PEUR DES DERMOCORTICOÏDES ?

Leur réputation a suivi celle des corticoïdes pris par voie orale trop longtemps et inconsidérément. Les dermocorticoïdes n'ont cependant aucun effet secondaire indésirable, sauf à les appliquer de nombreux mois de suite, en continu : « Ils ne fragilisent pas la peau et n'entraînent pas d'accoutumance ni de « rebond » à l'arrêt du traitement. Ils sont au contraire sous-utilisés, par crainte de ces effets secondaires, ce qui est à l'origine des fréquents échecs de traitement. »

L'hydratation de la peau

Le traitement par des crèmes hydratantes ou émollientes va permettre de restaurer l'imperméabilité de la peau. L'application de la crème se fera sur tout le corps, une à deux fois par jour après douche rapide et séchage par tamponnement. Lors des périodes de poussées, le traitement hydratant sera interrompu sur les zones inflammatoires, qui devront recevoir alors une nouvelle cure de dermocorticoïdes. Le traitement par crème émolliente sera poursuivi sur le reste du corps.

Les autres traitements

▶ **Les antihistaminiques** peuvent être utiles pendant quelques jours, en cas de démangeaisons et de troubles du sommeil, en attendant la fin de la poussée inflammatoire.

▶ **Le tacrolimus** (immuno-modulateur local) est réservé aux eczémas sévères chez l'enfant de plus de 2 ans. C'est un médicament d'exception prescrit par les dermatologues ou les pédiatres.

▶ **La photothérapie** peut être utile (UVA ou UVB) dans certains cas sévères résistant aux traitements.

Les soins d'hygiène

▶ Éviter les contacts directs avec la laine, les tissus rugueux ou synthétiques. Privilégiez le coton ou le lin.

▶ Couper régulièrement les ongles de l'enfant,

▶ Éviter la transpiration.

▶ Bien rincer l'enfant après les bains (baignoire, piscine, eau de mer) avec séchage sans frottement mais en absorbant.

Faut-il différer les vaccinations ?

Le schéma vaccinal classique peut et doit être respecté chez l'enfant souffrant d'eczéma. Seule une allergie à l'œuf pourrait contre-indiquer certains vaccins tels que ceux de la grippe ou de la fièvre jaune.

Faut-il rechercher une allergie alimentaire ?

La question se pose en effet car:

◗ les allergies alimentaires concerneraient 40 % des enfants atteints de dermatite atopique ;

◗ l'allergie alimentaire est cinq fois plus fréquente chez les enfants qui présentent une forme sévère d'eczéma ;

◗ l'allergie alimentaire est un facteur aggravant de la dermatite atopique du jeune enfant.

Les explorations allergologiques seront réservées aux dermatites atopiques sévères et précoces.

La diversification alimentaire

Il est acquis désormais que la diversification alimentaire des enfants à risque atopique ne doit pas être différée, sous peine d'entraîner une allergie ou une intolérance ! Cette notion est récente et vient bouleverser bien des idées et des pratiques pédiatriques.

Le Comité de nutrition de la Société française de pédiatrie (SFP) et le Cercle d'investigations cliniques et biologiques en allergologie alimentaire (CICBAA) préconisent chez le nouveau-né à risque un allaitement maternel exclusif jusqu'à 5-6 mois (avec un régime sans arachide chez la mère). La diversification se fera dès six mois sans exclusion alimentaire.

Le zizi

C'est donc bien un petit mec! Et ça se voit! Mais ce zizi, j'en fais quoi? Réponse: RIEN!

À la maternité

Le pédiatre a vérifié que «tout est en place»: les bourses sont bien remplies par les testicules, le zizi est en pleine possession de ses fonctions... liquidiennes pour l'instant et reproductrices pour plus tard.

Souvent le médecin, en manœuvrant doucement, ira légèrement ouvrir le capuchon prépucial qui entoure quasi complètement le gland. Juste pour faire apparaître visuellement le méat urinaire. Et c'est tout!

Quant à vous...

Pendant les mois qui viennent, vous n'avez strictement rien à faire. Certains médecins pourtant, plus ou moins indécis quant à la conduite à tenir, en arriveront peut-être à vous «refiler le bébé». Et vous conseilleront de «tirer!» sur le zizi régulièrement au moment de la toilette...

Cela n'a aucun intérêt. D'une part parce que «tirer dessus» ne veut rien dire: jusqu'où? comment?

Ensuite parce qu'aucune mère ne va se risquer à faire mal à son bébé. Elle ne sait pas s'y prendre et c'est normal; de toute façon, elle s'arrêtera aux premières agitations du bébé qui signale qu'il n'apprécie pas du tout.

Et puis parce qu'il est hors de question d'angoisser la mère à chaque toilette avec la corvée du zizi… et de créer une situation de stress réciproque dans un moment qui se veut calme et privilégié.

Donc aucune manœuvre sur ce zizi. On le nettoie, on le savonne comme le reste du corps, mais on le laisse en paix !

Par contre, c'est au médecin…

… lors des consultations régulières, de s'occuper un peu du zizi comme du reste, et de vérifier que le capuchon prépucial n'est pas trop serré. Et s'il est serré, de manœuvrer, là encore doucement, pour faire apparaître à nouveau le méat urinaire.

C'est en ouvrant ainsi régulièrement et progressivement ce capuchon que l'on évitera plus tard un éventuel phimosis. Et que l'on pourra plus facilement dans quelques mois libérer complètement, s'il le faut, le gland, en le décalottant du prépuce.

Le phimosis correspond à l'incapacité du gland à sortir de son capuchon. Parce que le bout du prépuce, le capuchon, est devenu fibreux, moins souple. Et si jamais l'on arrive, en forçant, à faire néanmoins sortir le gland, il y a le risque de ne pas pouvoir le faire « rentrer », ce qui crée un paraphimosis nécessitant une intervention chirurgicale urgente.

Et le décalottage ?

C'est la manœuvre de séparation manuelle du gland et du prépuce. Certains médecins prônent l'abstention, notamment en Europe du Nord, où il y a eu beaucoup de publications sur la question et ou l'on préfère laisser faire la « nature ».

D'autres sont moins convaincus d'une ouverture spontanée du prépuce ; surtout quand on observe parfois des glands toujours solidement «emprisonnés» dans leur capuchon en pleine période de puberté!

Par ailleurs, les petites zones graisseuses qui protègent cette jonction gland-prépuce peuvent se nécroser et s'infecter, conduisant à un «zizi» rouge et gonflé. Le décalottage est alors la seule alternative. Ce qu'il faut en tout cas, de manière logique, c'est éviter d'en arriver à des circoncisions autres que celles décidées pour des motifs religieux. Donc éviter une circoncision pour phimosis parce qu'on a «oublié» de s'occuper du zizi au cours des années.

Les premières dents

Ah cette poussée dentaire, autant redoutée, qu'attendue… Connue comme étant la première étape douloureuse du bébé qui grandit, la poussée dentaire reste longtemps pour la mère comme le monstre du Loch-Ness ! On la redoute, on l'attend, mais on ne voit rien venir…

Et en attendant donc… Devant la moindre patraquerie de bébé, on pense : « Ça doit être les dents » ! D'ailleurs, la voisine, la copine ou la grand-mère, affirmeront toutes de manière très péremptoire : « C'est les dents ! » Il se met à saliver ? Ce sont les dents qui arrivent ! Et si l'une d'entre elles, ouvrant la bouche du bébé, déclare : « Il double ses gencives », alors là c'est la phrase magique ! La mère n'a plus qu'à s'incliner… Chapeau bas devant l'expérience et le diagnostic ! Il doublait ses gencives, ce petit bout, et moi qui n'ai rien vu…

Bon ! Remettons tout dans le bon ordre…

La première dent : vers 6 mois

Inutile donc de se poser trop de questions avant ni d'examiner tous les jours les gencives de votre petit bout.

Tout commence, le plus souvent, par l'arrivée d'une incisive inférieure, puis celle de la voisine. Ce sera ensuite le tour des incisives supérieures, puis plus tard des canines et des prémolaires.

Est-ce qu'on peut détecter la percée dentaire ?

La gencive ne double pas comme ça du jour au lendemain, mais s'épaissit doucement et régulièrement pendant plusieurs semaines. Et un médecin habitué aux bébés saura détecter l'arrivée de la période de mûrissement et préviendra la mère.

Cet épaississement ne concerne d'ailleurs essentiellement que la zone de poussée des **incisives inférieures**.

Pour les **incisives supérieures**, ce n'est pas le bord libre de la gencive supérieure qui s'élargit, mais sa face externe qui gonfle avec apparition par transparence du dessin des dents.

Concernant les **canines**, il y a peu de signes. Un jour apparaît une petite pointe !

L'arrivée des **prémolaires**, elle, est précédée d'un gonflement important, bien ressenti par le doigt. La gencive est comme soulevée par la dent qui véritablement pousse.

Quant à la **production de salive**, qui survient plus précocement, vers l'âge de 3 mois, elle n'a rien à voir avec l'arrivée des dents. Contenant des enzymes nécessaires à la digestion, sa présence signale que l'enfant va bientôt être capable de s'alimenter de manière plus diversifiée et quitter un régime exclusivement lacté.

Les signes qui accompagnent la percée dentaire

Parfois, c'est la mère qui découvre la première dent de manière fortuite. Parce que le sein qui est tété ressent une gêne inhabituelle… Ou parce que la cuillerée de légumes touche quelque chose de dur dans la bouche de bébé.

Mais, le plus souvent, c'est la survenue de plusieurs signes, associés de manière plus ou moins complète :

◗ un nez qui coule ;

▶ un bébé râleur qui exprime douleur et gêne, qui boit moins bien ou refuse la cuillère, qui met encore plus souvent les doigts à la bouche;

▶ des selles plus molles;

▶ un érythème fessier;

▶ une fièvre souvent peu élevée;

▶ un sommeil perturbé.

Tout cela ne durera que quelques heures ou quelques jours.

Le traitement

Il restera très simple: du paracétamol pour diminuer la température et la gêne douloureuse, du sérum physiologique nasal et de gros câlins...

Quant aux petits sirops ou petits gels utilisés pour tenter d'atténuer la sensibilité des gencives, ils restent souvent peu efficaces et d'effet très transitoire. Certains anneaux de dentition, par le froid qu'ils apportent, seront utiles. Les produits anesthésiques locaux ne sont pas indiqués.

Très exceptionnellement, un hématome peut se produire entre la dent qui pousse et la surface de la gencive, qui gonfle ainsi sous la pression. Ce ne sont que dans ces rares cas que le médecin pourra être amené à «inciser» la gencive, pour atténuer la douleur qui est importante et libérer la sortie de la dent. C'est sans doute dans ce contexte, très rare, que nos grands-mères d'antan conseillaient d'ouvrir la gencive en la frottant avec un morceau de sucre! À éviter à tout prix!

Parfois, l'ordre des choses est bouleversé

Certains bébés naissent avec une dent, souvent d'assez mauvaise qualité; parfois c'est l'incisive supérieure qui pousse en premier;

parfois les deux incisives latérales, ce qui donne un joli aspect de vampire… D'autres n'auront leurs premières dents que vers un an, voire plus tard (record vu : 14 mois).

Le rythme des poussées est très variable : échelonnement tranquille à plusieurs semaines d'intervalle ; ou explosion simultanée de 2 à 6 dents, un vrai clavier de piano ! Là, les signes généraux seront souvent bien marqués.

Quand on pense que la petite souris attend déjà qu'elles tombent, ces quenottes tant attendues !

Les modes de garde

Parce que notre société oblige fréquemment la mère à reprendre une activité professionnelle quelques semaines ou mois après la naissance du bébé, se pose alors la question du choix du mode de garde.

Pour certains couples, les choses seront simples. Avant même que l'enfant soit né, le choix est fait : l'inscription à la crèche a été décidée quasiment dès la conception de l'enfant, vu la difficulté dans les grandes villes à réserver une place. Parfois c'est une grand-mère qui sera la gardienne de jour. Elle n'habite pas trop loin, elle est disponible et demandeuse. Pour d'autres ce sera le choix d'une nourrice dont on a entendu vanter les mérites.

Souvent le débat n'est pas tranché. Et l'on préfère tenir d'abord l'enfant dans ses bras et se donner le temps… Mais les jours passent vite, et il faut bien en arriver à se poser pour de bon la question : qui va garder notre petit bout ?

Plusieurs impératifs doivent guider le débat (outre, bien sûr l'argument économique !) :

◗ toujours agir dans l'intérêt de l'enfant et non pas vouloir ménager des susceptibilités familiales, quelles qu'elles soient…

◗ choisir une structure dans laquelle votre enfant sera « trimballé » le moins longtemps possible, pour éviter un stress nuisible pour tout le monde (optez donc plutôt pour une structure proche de chez vous par rapport à telle autre théoriquement géniale mais trop éloignée. Il sera toujours temps de changer…) et où il pourra s'épanouir car il sera sti-mu-lé !

❱ éviter les modes de gardes multiples et variées pour faire plaisir à tout le monde (trois demi-journées avec la grand-mère, deux journées avec la nourrice, etc.). Votre enfant risquerait de devenir un bébé paquet « colissimo » dont les futures excitations, pleurs et troubles du sommeil vous seront bientôt légués en représailles…

Finalement, c'est en essayant d'aller le plus objectivement possible dans l'intérêt de l'enfant que pourront s'atténuer ces sentiments quasi obligatoires pour les parents : la culpabilité d'abandon, la frustration, le déchirement.

Et l'apaisement viendra quand, soir après soir, en retrouvant votre enfant, vous constaterez qu'il ne paraît pas du tout traumatisé – beaucoup moins que vous en tout cas – qu'il est calme, vous reconnaît et vous sourit.

La crèche

Avantage

La structure est sécurisante car parfaitement adaptée au milieu du nourrisson :

❱ hygiène,

❱ alimentation,

❱ environnement,

❱ personnel qualifié,

❱ respect du rythme biologique,

❱ stimulation visuelle et auditive,

❱ suivi médical,

❱ compte-rendu du comportement de l'enfant.

Inconvénients

Beaucoup de parents ont la sensation que leur enfant est un peu un numéro parmi tous les bambins.

Mais la critique majeure, c'est: «À la crèche, il tombe malade!» Et c'est vrai que dans ce lieu, les microbes s'échangent allègrement et se nourrissent d'une population dont l'immunité est encore très imparfaite. «Tu m'as refilé ton virus? Tiens! Prends mon microbe!» Ce ping-pong de germes, à l'origine de rhino-pharyngites ou de bronchites, a quelque chose d'autant plus exaspérant que la mère aura du mal à trouver pendant la maladie de son enfant une autre structure de garde.

Si l'on veut «positiver», dites-vous alors que votre enfant est en train de construire plus rapidement son immunité. Qu'il concentre, de façon rapprochée, les petits incidents qu'il fera de toute façon, mais de manière plus étalée dans le temps.

Cet optimisme forcené peut ne pas résister à l'épreuve du temps. Et il faut savoir retirer son enfant de la crèche si les incidents deviennent trop fréquents et le carnet de santé trop vite rempli.

L'assistante maternelle agréée

Avantages

C'est le petit comité sympa où l'on se retrouve entre nourrissons du même âge ou presque, c'est la structure légère à une échelle plus familiale, plus intime, moins anonyme que la crèche.

L'assistante maternelle, qui garde au maximum quatre enfants, dont bien souvent le sien, connaît rapidement le profil et les besoins de chaque enfant. C'est la mère de substitution, de voisinage, de proximité, dont on a pu apprécier la gentillesse, la disponibilité, le professionnalisme aussi.

En règle générale, les choses se passent bien. Le ping-pong infectieux est réduit, vu le petit nombre d'enfants. La nourrice en outre sait souvent remettre «les choses en place»: tel enfant qui faisait habituellement des «caprices» bizarrement ne les fait plus: il mange, il dort, il joue; ses rythmes sont bien établis.

Car cette nourrice n'est pas embarrassée par cet affectif maternel «biologique» ou l'inquiétude domine. Elle reste en deçà de toute considération psychologique plus ou moins paralysante. Elle agit simplement au mieux, sereinement. L'enfant a devant lui quelqu'un de «carré» et lisse. Il n'a pas à jouer un jeu quelconque de chantage. Ce qui d'ailleurs est reposant pour lui. Mais il se rattrapera plus tard avec vous, une fois rentré à la maison… Soyez rassurée!!

Inconvénients (possibles)

Il y a parfois des déconvenues qui peuvent obliger les parents à changer de nourrice.

▶ Soit que celle-ci apparaisse peu disposée à s'exprimer sur le comportement de l'enfant: si «tout va toujours bien», c'est louche! Car cela laisse supposer un intérêt peut être plus lucratif que professionnel et affectif.

▶ Soit que votre enfant, de retour à la maison, a une attitude bizarrement trop calme ou au contraire trop agitée, ce qui pourrait correspondre à une non-stimulation pendant ces périodes de garde.

La grand-mère

Avec la grand-mère (maternelle ou paternelle), on reste en famille, et cela est bien sûr très sécurisant. Mais si la confiance et l'affectif sont là, quelques remarques s'imposent. Qu'il s'agisse d'une «super-mamy» toujours bien alerte, mode et branchée, ou d'une «mamy gâteau», disons plus stéréotypée, ces grands-mères:

▶ devront toujours bien sûr conseiller, guider leur fille ou belle fille, donner leur avis, mais aussi s'obliger en permanence à rester dans leur rôle, c'est-à-dire à respecter l'organisation quotidienne construite par les parents;

▶ s'il y a divergence d'avis sur tel ou tel point : les biberons, le coucher par exemple, il faudra en discuter, mais ne pas enclencher un processus qui puisse donner lieu à deux systèmes d'éducation : celui des parents et celui de la grand-mère. Le bébé ne comprendrait plus pourquoi ce qu'il obtient d'un côté, il ne l'obtient plus de l'autre. Et ce qu'on appellerait alors des caprices de bébé ne serait que l'expression justifiée de sa frustration à ne pas retrouver un rythme identique en permanence.

De toute façon, c'est à la mère de donner le tempo et de vérifier qu'il est maintenu.

Chères grands-mères, maintenez vous en forme !

Au début, le bébé dort beaucoup, et ça va pour vous. Mais bien vite il aura soif de stimulations. Et là… il faudra suivre ! Il ne s'agira plus seulement de le bercer, de lui donner le biberon et attendre son rot. Il voudra regarder, bouger, vous emmener dans son tourbillon de vie.

Bon ! Tout ça vous l'avez évidemment vécu, vous êtes au courant. Mais vous étiez un peu plus jeune…

Alors sachez qu'il vous faudra rapidement remplacer la camomille par les vitamines… Ou faire des cures de thalasso !

La halte-garderie

Même si la maman reste à la maison pour s'occuper à temps complet de son enfant et qu'il n'y a pas à rechercher à tout prix une structure de garde, il est bon néanmoins pour l'enfant de se décrocher de temps en temps, sinon des jupes, du moins des bras de sa mère. Pour plusieurs raisons :

▶ parce que, qu'on le veuille ou non, les stimulations que vous procurez à votre enfant deviennent pour lui, un jour ou l'autre, un peu trop connues et monotones ;

▶ parce que vous n'avez pas mille bras à la fois et que le rythme des journées est souvent immuable. Sans beaucoup de temps pour lui faire découvrir autre chose que ce qu'il connaît déjà ;

▶ parce qu'il a un besoin impérieux et permanent de découvrir… d'autres jouets, d'autres couleurs, d'autres formes, d'autres lieux. Et quand l'enfant s'ennuie, tourne en rond dans vos bras ou dans son baby-trotteur, qu'il est frustré de l'absence de découverte, de nouvelles acquisitions… Il se manifeste en devenant ronchon, un peu plus exigeant, plus impatient. Ou en faisant déjà ce que les parents appellent des bêtises. Bêtises – quasi obligatoires – qui ne sont finalement que le résultat de ces stimulations qu'il lui faut aller chercher… en cachette !

N'ayez donc pas de scrupules si vous l'emmenez de temps à autre en halte-garderie, quelques heures, progressivement. Il y découvrira autre chose. Pas forcément quelque chose d'extraordinaire en soi, mais pour lui, oui ! Parce que c'est différent de ce qu'il connaît. L'enfant n'a pas de jugement de valeur… Une seule chose compte : tout nouveau, tout beau !

Les vaccins

La première année de vie d'un enfant est pleine de «piquant»! Eh oui! Il va falloir en passer par là... Ces affreux vaccins se profilent déjà à l'horizon... Un jour peut être il y aura des vaccins à boire, des vaccins sous forme de patch, mais pour l'instant il faut «piquer». Et cette première année est pour le nourrisson une année «cactus»! Voyons donc le programme...

À l'âge de 2 mois, ça commence!

▶ Avec l'injection de deux ensembles de vaccins. La **première injection** est constituée d'un mélange de 6 vaccins protégeant contre 6 maladies: **diphtérie, tétanos, coqueluche, poliomyélite, infections à haemophilus** et **hépatite B**. Ce mélange de vaccins porte des noms différents selon le laboratoire fabriquant: Pentavac®, Infanrix®.

La **deuxième injection** protège contre les infections à pneumocoques; son nom: Prévenar®.

Les injections de ces deux vaccins, qui se font par voie intramusculaire, auront lieu à 2 mois et 4 mois, avec un rappel à 11 mois. Les réactions post-vaccinales sont désormais peu fréquentes et modérées la plupart du temps: petite « boule » au niveau de l'impact, fièvre légère.

À 1 an

▶ Injection d'un mélange de 3 vaccins (commercialisé sous les noms de Priorix® ou R.O.R. Vax®) protégeant contre 3 maladies:

rougeole, **oreillons** et **rubéole**. Une seule injection par voie intra-musculaire.

Aucune réaction dans l'immédiat. Possibilité d'apparition, au bout d'une dizaine de jours d'une micro-rougeole avec petit rhume et légère fièvre. Rappel vers 16/18 mois.

▶ À 1 an, on vaccine également contre la méningite à méningocoque C (Méningitec®, Neisvac® ou Menjucate®) Une seule injection suffit.

Le BCG

Ce vaccin proposé pour protéger de la tuberculose n'est plus obligatoire pour l'entrée des enfants en collectivité crèche, garderie. Il reste cependant conseillé en Guyane et en Île-de-France… et fortement recommandé par les PMI et les crèches municipales.

Outre cette contradiction entre les textes officiels et la pression des organismes publics, il existe plusieurs freins à l'administration précoce de ce vaccin :

▶ le mode d'administration : il s'agit d'une injection intradermique de réalisation délicate chez l'enfant, qui bouge…

▶ la présentation de ce vaccin contient 10 doses. On en jette donc 90 % !

▶ la France reste le seul pays européen à pratiquer si tôt cette vaccination ;

▶ la transmission de la tuberculose se fait d'adulte à enfant et non pas d'enfant à enfant ;

▶ surtout, il existe des risques de complications.

Les complications

Malgré une technique correcte, des réactions cutanées, parfois importantes, peuvent survenir :

❯ la plupart du temps, les réactions cutanées au point d'injection signent la réalité de la vaccination : deux à trois semaines après l'injection apparaît un gros bouton, une ulcération, avec peau rouge, violette qui disparaîtra au bout de plusieurs semaines ;

❯ parfois, cette ulcération gonfle et finit par percer avec écoulement de sérosités ;

❯ parfois aussi apparaît un ganglion plus ou moins volumineux sous l'aisselle, du côté du bras vacciné.

Que faire ?

❯ Devant une ulcération qui suinte et coule, ne rien appliquer : ni pommade antibiotique (l'écoulement ne contient pas de germe), ni talc ni aucun produit.

❯ Seulement protéger le bras avec une compresse sèche pour l'isoler des vêtements.

❯ Si l'on peut baigner ou doucher l'enfant qui présente une ulcération, il est moins recommandé d'aller faire trempette dans de l'eau de mer. Calculez donc au mieux le moment de la vaccination.

Et voilà ! Fin du programme de la 1re année, au cours de laquelle l'enfant aura reçu pour sa protection entre 5 et 8 injections.

CONTRE LA DOULEUR

Aujourd'hui la douleur peut être atténuée grâce à un anesthésique local placé sur la future zone d'injection 1 ou 2 heures avant le vaccin, sous forme de patch Emla. Mais si la peau est anesthésiée, ce n'est pas le cas de la zone d'injection intramusculaire ! Enfi, sachez que le Prévenar® est le plus douloureux des vaccins.

La vaccination contre la varicelle

Elle permet d'éviter 1 semaine de mal-être chez l'enfant, un risque de cicatrices indélébiles et un absentéisme parental pour s'occuper et surveiller son enfant.

En France, la varicelle touche chaque année près entre 600 et 700 000 personnes, essentiellement des nourrissons et des jeunes enfants. Les complications touchent environ 3 % des cas, essentiellement par surinfection broncho-pulmonaire et cutanée.

Le vaccin est commercialisé et remboursé depuis plusieurs années, sans être encore officiellement recommandé. Il en existe actuellement deux : Varilrix® et Varivax®.

Une vaccination à deux doses est recommandée.

La vaccination anti-gastro-entérite à rotavirus

Une vaccination fortement conseillée

Les gastro-entérites à rotavirus entraîneraient 18 000 hospitalisations chaque année et de 7 à 20 décès chez les jeunes enfants. Les nourrissons de moins de 2 ans sont les plus vulnérables, cette gastro-entérite pouvant avoir des conséquences cliniques graves liées à la déshydratation.

Le vaccin vient enfin d'être recommandé par le Conseil supérieur de l'hygiène publique de France (CSHPF), l'instance scientifique et technique du ministère de la Santé.

Depuis 2006, nous disposons en France de deux vaccins contre les gastro-entérites à rotavirus : Rotarix® et Rotateq®. Leur tolérance et leur efficacité sont parfaites et ont été démontrées (l'efficacité vaccinale persistant au moins deux ans).

Ce vaccin devrait à court terme pouvoir être remboursé. Espérons car il coûte cher aux parents : 2 ou 3 fois 65 euros.

En pratique

Le schéma des deux vaccins diffère, mais dans les deux cas il s'agit de vaccins oraux à boire :

◗ Rotarix® : 2 prises ;
◗ Rotateq® : 3 prises.

La vaccination doit débuter le plus tôt possible à partir de l'âge de 6 semaines et se terminer au plus tard à 6 mois.

L'administration est facile et sans contrainte dans l'angle interne de la bouche, avec la prise de biberon ou l'allaitement. La coadministration est possible avec les autres vaccins pédiatriques usuels.

Les troubles
du sommeil

De l'influence des parents…

Un bébé, ça dort beaucoup, c'est connu ! Surtout au début ! Et après… ? Ça dépend ! De quoi ? De lui, évidemment d'abord.

Il y a plutôt les dormeurs, les placides, les calmes, les bonnes pâtes, les loirs, les souches ! Il y a aussi, à l'inverse, les agités, les inquiets, les boules de nerfs…

Nous apprenons tous assez vite à reconnaître, à mesure que les mois passent, la nature psychologique de notre enfant avec sa traduction dans le sommeil.

Mais son sommeil dépend aussi (et peut être surtout) de nous, parents. Car ce petit bout, qui dort là auprès de vous comme un ange, peut se transformer selon ce que vous ferez ou ne ferez pas, en un affreux jojo hurleur et insomniaque qui fera voler en éclat l'équilibre familial.

Peu de parents le savent au départ ou veulent l'admettre plus tard.

Surtout ceux qui viennent d'avoir leur premier bébé. Pour le deuxième ou le troisième, ils seront, pour le coup, tellement convaincus de leurs influences «éducatives» qu'ils s'y prendront autrement.

Tout en reconnaissant que personne n'a de leçon à donner à personne sur l'intimité des relations parents bébé, il semble donc très utile de prévenir à temps de l'importance de certaines attitudes parentales pour éviter de futures désillusions.

Pas de leçons de bonne conduite donc, mais des conseils pour agir à temps en connaissance de cause : car si vous vous engagez dans un processus d'engrenage, vous risquez de ne pas obtenir un équilibre familial serein, notamment nocturne ! Tout le monde a entendu parler de telle cousine, tels amis, qui vivaient des nuits « difficiles » avec leurs bébés. Et ces parents victimes étaient au départ, comme vous, baignés dans la certitude joyeuse et épanouie d'une harmonie forcément permanente

Les difficultés d'endormissement

Le piège s'est installé doucement. Souvent au sortir de la maternité, de retour à la maison.

Au début tout paraît simple. Le jeune nourrisson boit et s'endort sans problème : dans les bras ; ou contre le sein, parfois le mamelon encore dans la bouche ; ou sur la mère allongée, ventre contre ventre ; ou joue contre joue, pendant la fameuse promenade pour faire le rot ; parfois une tétine déjà dans la bouche… L'enfant est ensuite déposé dans son lit et il dort calmement plusieurs heures, jusqu'à la prochaine crise de faim. Tout baigne !

Au bout de quelques semaines, les choses se compliquent : l'enfant mis au lit n'était apparemment qu'assoupi… N'appréciant plus d'être tout seul sur un plan immobile, froid, sans bercement, sans contact « chaleureux », il se met à pleurer… On le reprend dans les bras. Peut-être a-t-il encore faim ? Et hop ! Un petit coup à boire ! L'enfant tétouille quelques instants et s'assoupit tranquillement dans les bras. De nouveau au lit… Et re-pleurs ; donc re-bras, puis re-tétouillis… et ron et ron petit patapon ! Bébé est finalement, doucement mais sûrement, en perfusion lactée permanente dans les bras et refuse son lit.

Quelque temps plus tard, l'enfant pleurant systématiquement dès qu'il est placé dans son lit ou se réveillant au bout de cinq minutes, les parents ont contourné le problème en organisant systématiquement un long bercement, dans les bras ou dans la poussette. Mais bientôt, n'ayant plus la patience ni l'énergie de faire des kilomètres avec bébé dans les bras, une nouvelle technique est trouvée, finalement très pratique et qui arrange tout le monde : bébé est allongé sur le canapé ou placé dans son baby-relax et il partage l'animation de la soirée… Il finira par s'endormir devant la télé, les films, débats ou jeux télévisés ayant eu enfin raison de lui.

Dans une version encore plus « hard », on pourra être amené soit à le laisser s'endormir dans le lit conjugal, soit à le faire bénéficier d'une sympathique promenade nocturne en voiture autour du pâté de maisons voisin pour enfin le voir « s'écrouler ».

C'est la catastrophe !

Enfin endormi, l'enfant est très délicatement pris dans les bras d'un parent, emmené sans bruit vers son lit, ou il est allongé très délicatement telle une bombe à retardement.

Amère victoire, car la nuit des parents sera courte…

Les réveils nocturnes

L'enfant qui ne connaît pas son lit, qui ne s'y est quasiment jamais endormi, aura toutes les chances de se réveiller pour tenter de retrouver l'atmosphère chaude et ondulante des bras de sa mère. Il va programmer son réveil, tellement il lui semble important de retrouver le plaisir perdu.

Car son lit n'est pas un lieu de plaisir. Et cet explosif qu'on croyait désamorcé va égrener la nuit de ses pleurs. Mais comme le père travaille demain, et qu'il y a des voisins, et qu'on est épuisé, et qu'il est bientôt inacceptable de se lever toutes les deux heures… on ne se donne même plus la peine d'essayer de le rendormir.

Quand il se réveille, soit il intègre le lit des parents, soit, vu le manque de place, c'est l'un des deux parents (souvent le père) qui quitte le lit conjugal pour s'installer dans le lit de la pièce voisine ou sur le canapé, laissant le «nouveau couple» – la mère et son bébé – terminer leur nuit ensemble. Le bébé a gagné !

L'état des lieux…

On imagine très bien l'atmosphère tendue qui s'installe dans une telle famille :
▶ fatigue, énervement ;
▶ culpabilité de ne pas savoir s'y prendre ;
▶ vie de couple perturbée.

On aimerait trouver une explication ! On l'aime ce bébé ! Plus que tout !

Que se passe-t-il ? Y a-t-il quelque chose qui le gêne : des gaz, des coliques, une poussée dentaire, des cauchemars ? Est-il malade ?

Mais l'espoir d'un traitement médical qui réglerait tout est vite déçu : si exceptionnellement un traitement anti-reflux pourrait se justifier avec un enfant qui s'endort facilement et se réveille brutalement la nuit, dans la très grande majorité des cas l'examen médical ne retrouve rien d'anormal. Il faut donc tout faire pour ne pas en arriver là !

Comment éviter les troubles du sommeil

Votre enfant qui vient de naître est un immense réservoir de stimuli, et un réservoir très intelligent ! Il reçoit un stimulus ? Il s'en souvient ! C'est un stimulus de plaisir ? Il sera immédiatement mémorisé et très vite recherché, revendiqué. Ce stimule se répète ? Il s'intégrera très vite à son entité globale. Cette merveilleuse « éponge » affective qu'est votre enfant perçoit tout et s'en souvient.

Son langage pour retrouver cette sensation de plaisir dont il se sent privé : les pleurs !

Car dans les pleurs il y a à la fois :

▶ le besoin : « Je pleure pour alerter que j'ai faim par exemple » ;

▶ et l'envie : « J'étais bien, je ne suis plus bien, je pleure pour être bien à nouveau. »

Le grand problème est de savoir être assez « parents » pour lui procurer amour et plaisir, mais en sachant faire la part des choses entre le besoin à respecter et l'envie à contrôler.

Sans en faire « trop », sans lui donner des « habitudes de plaisir » qu'il faudra abandonner plus tard et qui pourraient n'être que le reflet de nos propres angoisses ou inquiétudes, inutiles et nocives pour le futur.

Dur de se mettre si tôt à ce métier de parents ! Par définition nous ne sommes pas préparés au job ! Malgré notre anticipation, ça nous tombe dessus et nous faisons avec. Au mieux.

Avec amour évidemment !

Sur le plan pratique…

D'abord, « profitez » bien de votre bébé ; à la maternité puis à la maison. De ces moments d'osmose affective qui passent si vite…

Embrassez-le, caressez-le, parlez-lui, bercez-le, profitez de ces instants magiques, de cette rencontre longtemps attendue et espérée, imprégnez-vous l'un de l'autre, faites connaissance… Mais en même temps, prenez très vite de bonnes résolutions !

▶ Ne le laissez plus s'endormir complètement dans vos bras. Dès que vous sentez qu'il est «mûr», prêt à s'enfoncer dans le sommeil, couchez-le dans «son» lit.

▶ Ne le laissez pas s'endormir dans le baby-relax, sur le canapé, dans le salon, sur votre lit…

▶ Apprenez-lui «son» lit. Ce lit peut se trouver dans sa chambre, s'il en a une, ou dans la vôtre. L'enfant s'y endormira au calme, à l'écart des bruits domestiques des pièces avoisinantes (télé, cuisine), avec une lumière tamisée, une musique douce…

▶ Il a le ventre plein? Il a été changé? Il a fait son rot dans les dix minutes? Bébé est alors placé dans son lit et s'endort au milieu de vos caresses, de vos murmures, de votre odeur.

▶ Et s'il pleure dès qu'il se retrouve dans son lit, après un biberon ou une tétée? Attendez d'abord quelques minutes… Ne vous précipitez pas!

▶ Si les pleurs continuent, prenez-le dans vos bras, en restant au pied de son lit. Il s'arrête de pleurer? Recouchez-le, en le rassurant, lui parlant, le caressant. Il s'endort? Parfait! Il voulait vérifier que vous n'étiez pas loin…

▶ Il ne s'arrête pas de pleurer dans vos bras ou re-pleure dès qu'il est remis dans son lit? On va vérifier à tout hasard s'il n'a pas encore faim ce glouton… On «rouvre la boutique» s'il est au sein, ou on prépare un petit biberon, et on voit… Il tète un peu par réflexe et s'assoupit très vite? Allez hop au lit! Il s'endort? Parfait! Il voulait juste un petit «dessert».

▶ Mais si votre bébé, bien rassasié, repousse sa chansonnette dès qu'il est remis au lit… Alors il est impératif de le laisser pleurer! Combien de temps? Le temps qu'il faudra! C'est dur, ça «brise le cœur», mais il faut tenir! Sinon, si vous le reprenez dans vos bras, il saura, pour les prochaines fois, qu'il lui suffira de pleurer plus longtemps et plus fort pour vous voir arriver.

Tous les jours maintenez le cap. Et ne vous laissez pas voler votre organisation patiemment construite. Ne laissez pas la grand-mère, qui «passait par là», s'émouvoir de ce pauvre chéri qui pleure, le prendre dans ses bras et l'emmener dans un tango d'endormissement dont elles ont le secret. Ce serait vous casser la baraque! Les parents doivent rester les seules personnes habilitées à coucher leur jeune nourrisson.

La diversification alimentaire

Quand commencer?

Les règles et habitudes diététiques ont beaucoup évolué avec le temps. Il y a plusieurs dizaines d'années, bébé a été pris pour un grand beaucoup trop tôt. Il n'était pas rare alors de commencer la diversification alimentaire vers deux mois et demi, trois mois, surtout si l'enfant n'était pas nourri au sein.

Les complications digestives de tous ordres en ont été la rançon.

Revus depuis maintenant quelques années, les conseils s'étaient alors orientés vers une diversification alimentaire à ne commencer qu'à partir de six mois révolus (sous prétexte d'éviter tout risque de sensibilisation allergique).

Aujourd'hui, à la suite des rapports de l'ESPGHAN (European Society of Paediatric Gastroenterology, Hepatology and Nutrition) et de la SFP (Société française de pédiatrie), le consensus est le suivant:

▶ la diversification alimentaire se fera entre quatre et six mois;

▶ quel que soit l'âge de la diversification, le lait maternel ou le lait en poudre demeure l'aliment de base des nourrissons jusqu'à un an;

▶ l'allaitement maternel exclusif pendant au moins quatre à six mois est fortement conseillé;

▶ débuter la diversification alimentaire de l'enfant à six mois s'il est nourri au sein exclusivement jusque-là;

❭ ne pas différer la diversification alimentaire au-delà de six mois révolus, pour éviter toute carence ;

❭ ne pas remplacer les laits infantiles par du lait de vache avant un an ;

❭ les céréales et farines contenant du gluten ne seront introduites qu'entre quatre et sept mois, même si l'enfant est nourri au sein (afin d'éviter une intolérance au gluten et certains diabètes) ;

❭ ne pas ajouter de sel et de sucre dans les aliments introduits.

Comment démarrer ?

C'est la grande étape de l'apprentissage de l'alimentation à la cuillère.

Votre enfant est âgé d'au moins quatre mois et il commence sérieusement à saliver (à baver diront certains). Cette fonction salivaire rentre en jeu à cet âge pour permettre de digérer d'autres aliments que le lait.

Il est donc prêt pour cette grande étape constituée de plusieurs phases :

❭ prendre connaissance de ce nouvel instrument qu'est la cuillère ;

❭ goûter d'autres saveurs et apprécier d'autres textures ;

❭ surtout apprendre, non plus à téter du liquide, mais jouer de sa langue pour emmener ce semi-solide vers l'arrière-gorge et l'avaler.

Mais tout ne se fait pas en un jour, l'apprentissage sera progressif.

Le grand jour choisi, présentez-lui une petite cuillère de légume et voyez ce qui se passe.

Si toute la cuillerée revient en tache de peinture sur le chemisier de la mère, c'est qu'il n'était pas prêt !

Vous recommencerez plus tard.

Mais il se peut qu'après quelques signes d'étonnement, de mimiques faciales plus ou moins critiques, il finisse par avaler le tout !

C'est gagné ! C'était bien l'heure.

Le programme de 4 à 12 mois

Cette diversification alimentaire du nourrisson doit être progressive, sans forcing, en tenant compte des goûts et habitudes familiales, pour aboutir à une alimentation variée et équilibrée.

Les modalités d'introduction des différents aliments peuvent être considérées comme identiques chez les enfants à risque d'allergie ou de maladie cœliaque.

Les nouveaux aliments seront introduits successivement en quantité progressivement croissante :

❯ entre quatre et six mois : légumes, fruits, céréales avec gluten,

❯ après six mois : viande, poisson, laitage, matières grasses crues,

❯ après sept mois : semoule, petites pâtes,

❯ après neuf mois : œuf, fromage,

❯ après douze mois : riz, légumes secs.

❯ en l'absence d'allaitement maternel, il faut insister sur l'importance de maintenir jusqu'à douze mois environ 500 ml/j de lait de suite (deuxième âge) et conseiller ensuite un lait de croissance jusqu'à trois ans.

Conseils pratiques

Par quoi commencer : les légumes ou les fruits ?

Plutôt les légumes, pour éviter qu'il ne s'habitue trop vite au goût sucré et refuse ensuite les légumes.

Et puis, pour le sucré, on sait qu'il aimera de toute façon. En outre, les compotes de fruits peuvent entraîner un surcroît d'acidité digestive néfaste pour certains bébés.

Quel moment de la journée choisir ?

Entre 11 h et 14 h, ce qui correspondra plus tard au repas complet du déjeuner.

Évitez qu'il n'ait trop faim pendant l'apprentissage de la cuillère.

Donnez-lui d'abord une demi-tétée ou un demi-biberon pour calmer sa faim avant de lui proposer la cuillère.

Car s'il est trop affamé, il pleurera et refusera la cuillère ; cela ne va pas assez vite !

Au bout de quelques cuillerées, vous lui proposerez la deuxième moitié de la tétée ou du biberon, qu'il prendra entièrement ou non.

Au fil des jours, il accélérera la prise de cuillerées et vous pourrez bientôt « attaquer directement » l'alimentation à la cuillère.

Quelle quantité lui donner ?

Comme l'allaitement à la demande, ce sera les légumes à la demande. On ne devient jamais « trop gros » en mangeant des légumes !

Mais quels légumes choisir au départ ?

La carotte est l'aliment du bébé bien connu, son goût sucré facilite la reconnaissance des légumes. Très vite, vous pourrez ajouter les légumes verts : épinards, haricots verts et tous les légumes que vous souhaiterez ensuite.

Cuisine maison ou petits pots ?

C'est uniquement affaire de choix personnel.

En fait, la véritable question que se posent les parents est la suivante : comment nourrir mon enfant de la manière la moins « chimique » ou la moins « toxique » possible.

Les éclairages qui suivent permettront aux parents de mieux décider.

La préparation maison

Ce n'est pas parce qu'on prépare chez soi une purée de légumes que cela sera plus « naturel ».

Certes, il y a l'affectif, le soin, le plaisir d'organiser soi-même sa cuisine, mais cela risque d'être complètement improductif si la matière première – les légumes – est achetée n'importe où.

Les légumes du supermarché ou du marché ou du commerçant de quartier ne vous assurent aucune garantie.

Ils sont peut-être beaux, mais vous ne connaissez pas leur provenance et il y a tout lieu de penser qu'ils ont pu recevoir de bonnes doses de produits toxiques (pesticides, insecticides, etc.).

Si vous choisissez d'acheter des légumes, préférez dès lors soit :

▶ le cultivateur dont vous connaissez le scrupule écologique,

▶ les magasins « bio », mais…

LES LÉGUMES « BIO »

Le label « bio » des légumes achetés en magasin « bio » n'est malheureusement pas suffisant pour écarter tout risque d'impureté chimique. Certes, ces légumes répondent à un cahier de charges strict qui réglemente le mode de culture et l'utilisation d'engrais et de pesticides. Mais il ne s'agit que d'une obligation de moyens. En d'autres termes, ils ne garantissent pas l'absence totale de résidus ou de contaminants.

Les petits pots

La réglementation de l'alimentation infantile industrielle est très stricte. Il ne s'agit plus ici seulement d'une obligation de moyens, mais surtout d'une obligation de résultat.

Tout ce qui est « alimentation infantile », c'est-à-dire les petits pots industriels, répond à des normes sévères : le seuil de substances chimiques (pesticides, métaux lourds etc.) présentes dans le produit fini doit être très bas, proche de zéro.

Les contraintes sont donc supérieures à celles s'appliquant aux légumes « bio ».

Si vous souhaitez être malgré tout rassurés par le label « bio », achetez des légumes en « petits pots bio ».

Et ne soyez pas désespérés en goûtant ces petits pots... Le goût de bébé n'est pas encore le nôtre !

PETIT HISTORIQUE

En 1953, le Dr Sackett, pédiatre américain, introduisait les céréales au 2e jour, les légumes au 10e jour, la viande en purée au 14e jour, les fruits au 18e jour... En 1966, Laurence Pernoud suggérait la diversification vers 3 mois. Aujourd'hui la diversification a lieu après 4 mois et avant 6 mois.

Risque allergique ?

La diversification alimentaire chez l'enfant à risque allergique

Les règles ont changé ! Il n'est plus question de différer l'introduction des premiers aliments chez l'enfant à risque allergique ou atopique.

Au contraire, le dernier rapport de l'ESPGHAN crée une petite révolution en conseillant :

▶ d'une part de commencer la diversification alimentaire exactement comme chez n'importe quel nourrisson entre quatre et six mois ;

❿ mais surtout d'introduire rapidement les aliments réputés potentiellement allergisants (poisson, œuf, blé) ;

❿ et en tout cas, de ne pas différer trop longtemps l'introduction de ces aliments considérés comme anciennement allergisants, au risque de provoquer… une sensibilisation allergique !

C'est un peu le monde à l'envers pour beaucoup de mères… et de pédiatres !

Au total, si l'allaitement maternel pendant six mois reste la meilleure garantie pour éviter le risque allergique, l'enfant, dont les parents sont allergiques, a droit à une alimentation diversifiée normale sans exclusive dans le temps (quatre à six mois) et dans ses modalités.

Les maladies
« obligatoires »

Si de 0 à 3 mois le bébé a pu présenter quelques incidents de santé, il s'agissait essentiellement de problèmes d'ordre digestif. Ces régurgitations et autres coliques correspondaient d'ailleurs plus à une immaturité anatomique transitoire qu'à de « vraies » maladies.

À partir de 6 mois, l'on entre dans le cadre des petites maladies d'origine infectieuse, incontournables. Toutes ces maladies, bénignes la plupart du temps, sont dues à la rencontre de bébé avec ces petites bêtes qui nous entourent tous : les virus. Mais pas d'inquiétude… Tout n'arrivera pas en même temps !

Ces incidents infectieux « incontournables », liés à la rencontre et à l'adaptation de l'organisme de l'enfant avec les virus du milieu environnant, surviennent rarement avant l'âge de 6 mois, l'enfant étant jusque-là protégé par les anticorps maternels. La mère, qui a, comme tout individu adulte, construit une immunité, l'a transmise à son bébé pendant la grossesse, à travers le placenta et le lait maternel.

Notre petit bout est donc « tranquille » pendant les premiers mois de sa vie. L'immunité passive qu'il a reçue lui servant de bouclier contre la plupart des agents infectieux extérieurs. Encore faut-il considérer que cette immunité est incomplète. Il est donc impératif d'éloigner l'enfant de toute contamination infectieuse possible et de respecter un minimum d'hygiène.

Mais tout a une fin… À partir de 3 mois, le stock d'anticorps reçu commence à diminuer. Et à 6 mois le bouclier maternel a fondu…

Il va donc falloir se défendre tout seul! Désormais, l'enfant est donc plus «fragile» et va subir l'assaut de ces sacrés virus, qui font – qu'on le veuille ou non – partie de notre monde.

Quelles sont donc ces maladies infectieuses obligatoires qui vont atteindre notre bébé? Essentiellement les atteintes ORL: rhinites et rhino-pharyngites, ainsi qu'une atteinte virale particulière: la roséole. La fièvre, toujours très présente dans ce contexte infectieux, est parfois au premier plan. Elle est à la fois symptôme d'alerte et moyen de défense. Mais elle sera toujours à traiter.

Les incidents ORL (otorhinolaryngologiques)

Prenant leur essor chez l'enfant plus âgé, ils s'installent doucement vers 6-9 mois, de façon plus ou moins fréquente selon la climatologie et les conditions de vie du bébé.

La banale «rhinite»

Le bébé a le nez qui coule, les muqueuses sécrètent un liquide clair. Parfois ces sécrétions sèchent et l'enfant a le nez bouché. En tout cas, que le nez soit sec ou humide, bébé a le nez «pris». Évidemment ce n'est pas le drame médical total… Mais pour bébé, si! C'est la grande frustration! Car un bébé ça ne respire que par le nez. Et si le nez est bouché, il faut bien se mettre à respirer par la bouche. Mais les choses se compliquent si l'on veut en même temps respirer par la bouche et téter le sein de sa mère ou son biberon… C'en est trop! Boire ou respirer… Quel dilemme! L'enfant choisira de respirer. Mais bonjour la frustration et les pleurs qui vont avec!

La rhino-pharyngite

C'est un stade plus avancé, associant des sécrétions nasales plus épaisses et sales, un écoulement pharyngé postérieur, une toux et de la fièvre. Le bébé est grincheux, chiffonné, il boit moins et se réveille la nuit. Entre 6 mois et 3 ans, votre enfant fera une bonne dizaine d'épisodes identiques…

Complications possibles

▶ Laryngite avec toux rauque, « aboyante ».
▶ Atteinte oculaire par voie canalaire rétrograde. Les yeux sont eux aussi « pleins », les paupières « collées » par un liquide épais.
▶ Otite vérifiée par le médecin devant un bébé agité, buvant moins et pleurant anormalement.

Le traitement

Il est essentiellement basé sur le lavage du naso-pharynx avec cette arme absolue qu'est le sérum physiologique, disponible en dosettes ou, mieux, en pulvérisation : Stérimar®, Physiomer®, Prorhinel®. Cette eau physiologique va permettre de nettoyer les muqueuses, de libérer les sécrétions, d'éviter leur stagnation et leur surinfection. Le traitement a 80 % d'efficacité, c'est donc l'effet « Karcher » !
Bien évidemment, la fièvre sera traitée ou prévenue. Quant aux antibiotiques, ils ont ici très peu de place. Ils seront éventuellement réservés aux complications (otites) qui mériteront un traitement spécifique choisi par le médecin.

La prévention

▶ Sortir régulièrement l'enfant en promenade.
▶ Aérer les pièces.
▶ Ne pas surchauffer la chambre du bébé : 19 °C maximum ;

▶ Pas de tabac bien sûr. Attention aussi aux fumées de cheminées.

ATTENTION

Il faut toujours se méfier d'une cause plus digestive qu'infectieuse dans la survenue des problèmes ORL. Surtout si ces « incidents » surviennent de manière anormalement fréquente et/ou surviennent chez un bébé qui « ronronne » en permanence, émettant un petit bruit de doux clapotis lors des mouvements respiratoires, et qui a le nez « pris » chaque matin au réveil.

Il faudra alors suspecter un reflux des sécrétions digestives vers le naso-pharynx pendant le sommeil. Le nez n'est pas ici envahi par les sécrétions de ses propres muqueuses, mais par la remontée des sécrétions de l'estomac. En traitant l'estomac, le nez deviendra sec !

La roséole

Appelée encore « exanthème subit » ou « fièvre des 3 jours », cette maladie virale atteint de manière systématique tous les nourrissons. Et 90 % d'entre eux avant l'âge d'un an. C'est donc souvent la première vraie « maladie » du petit bout.

Comment se présente-t-elle ?

Par une simple fièvre ! Enfin… pas si simple que ça pour les parents, confrontés en général pour la première fois à une température élevée chez leur bébé.

L'enfant est un peu « bizarre », ramollo ou agité, pleurnichard. Tiens ! Il paraît chaud. Et le verdict tombe, asséné par le thermomètre ou le ruban thermique : Bébé est malade, il a de la fièvre ! Cette fièvre est souvent élevée, supérieure à 39 °C. Mais, chose rassurante, il n'y a rien d'autre. Pas de rhume, pas de toux, ni vomissement ni diarrhée, et pas la moindre dent qui pousse… Juste un bébé «patraque» et fébrile. Mais qui retrouve son allant et son sourire dès que la température tombe.

Cette fièvre va durer exactement 3 jours. Jugulée au mieux par le traitement antithermique. Au bout de 3 jours, elle a disparu. Mais quelques heures après cette chute définitive de la température, des petits points rouges apparaissent sur le ventre. Cette éruption sera très fugace, ne persistant que quelques heures, passant parfois inaperçue. Elle signe en tout cas la fin de l'histoire. Bébé a fait sa «roséole».

Inutile de dire qu'il aura bien sûr été examiné par son médecin dès la constatation de la fièvre initiale. L'examen n'ayant rien décelé d'anormal, alors que la suspicion d'incubation de roséole est fort probable, le médecin ne prescrira chez cet enfant – somme toute en pleine forme malgré sa fièvre – que des médicaments pour contrôler la température. En surveillant bien sûr l'évolution, comme toujours chez tout bébé fébrile.

À la fin du 3e jour tout le monde est content: les parents qui se demandaient quand même si la fièvre allait finir par tomber… Le médecin qui n'aime jamais trop les fièvres élevées chez le nourrisson… Et notre petit bout qui a repris toute sa fraîcheur.

La fièvre

Si une maladie peut exister sans fièvre, l'apparition d'une fièvre signe une maladie. En tout cas, elle indique que quelque chose ne tourne pas rond!

Chez notre bébé il s'agit souvent d'une histoire virale qui débute: rhinite, roséole, pour ne parler que des plus fréquentes. Mais il peut s'agir aussi d'une poussée dentaire, d'une réaction vaccinale, parfois d'une infection bactérienne, ou tout simplement d'un bébé qui a trop chaud…

Quand doit-on parler de fièvre ?

Quand la température dépasse 38°.

Pour mesurer la fièvre, plusieurs moyens existent :

▶ le thermomètre rectal (désormais sans mercure) ;

▶ le ruban thermique frontal ;

▶ le thermomètre auriculaire : mesure faite en plaçant l'embout d'un « auriculomètre » dans le conduit auditif de l'enfant.

En fait seul, le thermomètre rectal permet chez le nourrisson une prise fiable de la température.

L'auriculomètre est souvent inadapté chez le petit bout. Quand au ruban thermique, ses résultats sont trop souvent fantaisistes.

Faut-il traiter cette fièvre ?

Oui ! Et dans tous les cas. Chez le bébé – et l'enfant en général –, il n'est pas question de se dire que la fièvre est un moyen de défense de l'organisme qu'il faut respecter. Cette notion de respect de la température reste valable pour les adultes, qui peuvent décider de laisser leur corps augmenter sa chaleur interne pour lutter contre les virus – petites bêtes qui préfèrent nettement le froid. Pour l'enfant, c'est non !

Pourquoi ? Parce que chez l'enfant l'élévation de la température peut être très rapide – quelle que soit la cause de la fièvre – et que son cerveau n'aime pas du tout ça – le nôtre est un peu plus blindé.

Une température qui passe par exemple en 10 minutes de 38 à 40 °C peut en effet entraîner, par « réchauffement cérébral », des convulsions dites hyperthermiques

Ne sachant jamais à l'avance quelle sera l'évolution de cette fièvre, le traitement antithermique commencera donc systématiquement dès la connaissance de cette fièvre.

Les gestes immédiats

▶ **Découvrir l'enfant** : lui enlever au moins une épaisseur. S'il vous paraît brûlant, mettez le tout nu ou en body. Ne vous inquiétez pas, il ne risque pas « d'attraper froid » ou de tomber plus malade. Il faut juste que la température de son corps puisse « s'échapper ». C'est impératif ! Et c'est du bon sens !

Même si, de nos jours encore, certaines générations plus anciennes regardent d'un drôle d'air les médecins qui prodiguent de tels conseils et sont très sceptiques quant à leur état mental… Car, « de leur temps », il fallait protéger l'enfant malade en le couvrant…

▶ **Utiliser des petits moyens « refroidissants »** : gants mouillés sur le front ; brumisateur d'eau sur le visage et le corps ; bain d'eau tiède (36 °C) avec essuyage léger.

Mais il ne faut pas vouloir absolument chercher à obtenir une température « normale ». Il faut juste « maîtriser » la fièvre.

Les médicaments

Il y a trois grandes catégories de médicaments adaptés à la lutte contre la fièvre : le paracétamol, l'aspirine et les anti-inflamatoires.

▶ **Le paracétamol est le médicament de référence, celui que l'on utilisera en première intention.** Il agit contre la fièvre et la douleur. Plusieurs noms commerciaux existent, Doliprane® et Efferalgan® étant les plus connus.

Plusieurs modes d'administration sont possibles : sirops ou suspensions, qui ont l'avantage de permettre, grâce à une graduation exprimée en kilos, de donner la dose précise en fonction du poids de l'enfant; sachets de poudre à boire; suppositoires, qui permettent de traiter l'enfant si celui-ci vomit ou refuse toute boisson. Les sachets et les suppositoires sont dosés selon le poids de l'enfant (100 mg, 150 mg, etc.).

Selon l'importance de la fièvre, l'enfant sera traité entre 4 et 6 fois par chaque 24 heures.

▶ **L'aspirine.** Même si elle reste un peu la «panacée universelle», elle ne fait plus partie du traitement antithermique de première intention chez l'enfant. Elle est en effet à proscrire dans certaines maladies, car pouvant entraîner des incidents hépatiques. Elle ne sera pas donnée en cas de varicelle. L'aspirine se présente sous forme de sachets en poudre: Aspégic® 100 mg ou 250 mg selon l'âge de l'enfant, à la dose de 10 mg par kilo toutes les 4 à 6 heures.

▶ **L'ibuprofène.** C'est une molécule à la fois antithermique, anti-douleur et anti-inflamatoire. On la trouve commercialisée sous plusieurs noms commerciaux, dont Advil® et Nureflex®. L'ibupro-fène se présente sous forme de sirops avec pipette doseuse.

La chute de la température est souvent plus rapide avec cette molécule, mais elle n'est pas conseillée dans certaines infections: atteintes pulmonaires, gastro-entérites. Elle est interdite en cas de varicelle.

Dans tous les cas, c'est le médecin qui jugera:

▶ de l'opportunité de tel ou tel type de médicament à donner selon la maladie de l'enfant;

▶ du rythme des prises à respecter;

▶ et des doses à donner par 24 heures.

Il pourra aussi juger de l'intérêt d'associer parfois plusieurs types de médicaments.

Mais **si bébé démarre une fièvre, c'est aux parents d'instituer d'emblée le traitement,** sans attendre la consultation médicale. Le médecin n'a pas «besoin» de constater la fièvre pour «trouver» la maladie. Vous aurez donc chez vous du paracétamol et vous en donnerez d'emblée au bébé s'il dépasse 38 °C avant d'aller voir le médecin.

Il faudra aussi proposer régulièrement à l'enfant un peu d'eau à boire, en supplément de ses biberons. Attention aussi à éviter un confinement trop chaud du bébé dans la maison. ce qui signifie en clair :

❱ en hiver, aérer la maison et ne pas trop pousser le chauffage : 19 °C dans la chambre du bébé, pas plus de 22 °C dans les autres pièces.

❱ en plein été : organiser des «courants d'air» en ouvrant portes et fenêtres ou en s'aidant d'un ventilateur.

Les autres incidents infectieux « possibles »

D'autres embûches peuvent survenir au milieu de cette route des premiers mois… Car le nourrisson peut parfois aussi rencontrer des virus plus « méchants » ! Certains vont en accumuler un peu plus que la moyenne dans ce parcours des premiers mois.

En plus… des problèmes de plomberie, des quenottes qui font mal, des fièvres virales, des rhinites et rhinopharyngites, de la roséole, etc., certains nourrissons, notamment ceux qui habitent les grandes villes ou qui fréquentent les crèches, auront la malchance de rencontrer d'autres virus responsables de trois maladies : la bronchiolite, la gastro-entérite et la varicelle.

La bronchiolite

C'est une maladie des petites bronches (ou bronchioles) qui sont agressées par le virus VRS (virus respiratoire syncytial).

Elle touche environ 30 % des nourrissons de moins d'un an. Très contagieuse, elle survient souvent de manière épidémique et saisonnière (hiver, printemps). Sa propagation est favorisée par la vie en grande ville et en collectivité.

Notre bébé a d'abord une rhinite, puis surviennent des accès de toux évoluant par quintes de plus en plus fréquentes et prolongées. L'enfant respire moins bien et plus vite, en faisant un bruit anormal : sorte de sifflement ou petits crépitements pendant l'expiration. L'air semble moins bien passer dans les bronches et l'enfant commence à lutter pour obtenir sa ration d'air. L'on peut observer ainsi un début de « creusement » à la base du cou lors des mouvements inspiratoires.

La température est plus ou moins élevée. L'enfant est rapidement gêné pour boire ses rations habituelles.

Le médecin reconnaît vite la bronchiolite à l'auscultation du thorax et instaure rapidement le traitement.

Que s'est-il passé ?

Le virus VRS présent dans le naso-pharynx est « descendu » et a migré dans la muqueuse bronchique. Là, il a provoqué une réaction inflammatoire qui va diminuer le calibre des bronches. Pour les grosses bronches les conséquences demeurent faibles. Mais pour les petites bronches, ces « bronchioles » au calibre déjà réduit, l'air ne trouve presque plus de place pour circuler. Quand on sait que ces petites bronches représentent l'essentiel des échanges gazeux nécessaires à la bonne oxygénation de l'organisme, on comprend que leur atteinte ait un retentissement important sur la ventilation. Si l'obstacle à la circulation de l'air devient plus important, l'enfant va organiser la lutte : accélération des mouvements respiratoires, ouverture maximum des narines pendant l'inspiration, utilisation des muscles thoraciques, quintes de toux pour évacuer les sécrétions. Mais notre petit bout n'est pas très costaud et il s'épuise vite…

Le traitement

Il comporte essentiellement deux grands volets :

▶ **La kinésithérapie respiratoire** : elle est d'autant plus importante que l'enfant « sécrète » beaucoup et est « encombré ». Effectuée par un professionnel habitué aux tout-petits, elle va aider l'enfant à se débarrasser des mucosités qui obstruent les bronches, par stimulation du réflexe de toux, et en effectuant des manœuvres d'augmentation du flux ventilatoire.

▶ **Les médicaments :** il s'agit de produits bronchodilatateurs tels que la Ventoline® ou le Bricanyl®, qui seront inhalés à travers une chambre d'inhalation (Baby-Haler® ou Nes-Spacer®, par exemple). Ils vont améliorer la ventilation en aidant l'enfant à ouvrir ses petites bronches.

▶ Il faudra également **relever le haut du corps du bébé** dans son lit d'environ 30 degrés et lui **donner à boire un lait épaissi,** en petites quantités répétées.

▶ **La surveillance médicale sera toujours régulière et étroite.** La plupart du temps l'évolution sera bonne en quelques jours.

▶ Parfois il faudra **hospitaliser l'enfant** car les signes de lutte sont devenus trop importants : l'enfant s'épuise, ne boit plus, il est pâle et respire très vite. Cette hospitalisation sera souvent indiquée d'emblée chez le jeune bébé de moins de 6 semaines et/ou ancien prématuré.

La prévention

Difficile de déménager quand on habite une grande ville… Difficile d'imposer une nouvelle loi qui permettrait à la mère (ou au père) d'obtenir un congé postnatal de 6 mois et d'éviter ainsi la crèche… Mais on peut rêver !

Facile par contre pour les parents d'être attentif au lavage de leurs mains, à l'hygiène de leurs nez en face de bébé, à l'aération des pièces, à la modération dans le chauffage et à l'abstention tabagique.

EXISTE-T-IL UN RAPPORT AVEC L'ASTHME ?

Cette question est souvent posée par les parents qui s'aperçoivent que le traitement bronchodilatateur prescrit (Ventoline®) est le même que celui du papi asthmatique... En fait, la grande majorité des bronchiolites est d'origine virale et n'a donc rien à voir avec l'asthme, qui est une maladie propre des bronches.

Le plus important à rechercher chez un bébé qui présente de manière répétée des incidents bronchiques, c'est un reflux gastro œsophagien. Le spasme des bronchioles n'est pas dû ici au virus, mais est le résultat des micro-inhalations de lait et de sécrétions gastriques qui remontent de l'estomac dans les bronches. Le traitement anti-reflux fait disparaître ces accès récidivants de toux, d'encombrement et de « sifflement ».

La gastro-entérite

Les virus attaquent ici le tube digestif. L'enfant présente des vomissements (gastro) et des diarrhées (entérite).

Les vomissements

Ils sont parfois importants, l'enfant ne gardant strictement rien de ce qu'il absorbe, ressortant en jet le biberon qu'il vient de boire ou son repas. Dans d'autres cas, il ne s'agit que d'une intolérance gastrique inhabituelle : l'enfant s'arrête de boire au milieu du biberon, pleure dès qu'on le lui représente et finira par vomir quelque temps après.

Les diarrhées

Tout peut se voir : des selles très nombreuses et très liquides, « en eau », ou des selles simplement plus fréquentes que d'habitude et « molles ». Ni l'odeur ni la couleur des selles ne sont un argument de gravité. Des selles « vertes » prouvent simplement l'accélération du transit.

En tout cas la situation est claire ! L'intestin du bébé est malade ; notre petit bout fait une « gastro » !

Le médecin est donc alerté. L'examen ne décèle, la plupart du temps, rien de particulier. Parfois un « petit » rhume, une température un peu élevée, une vague dent qui semble pousser, des tympans corrects, l'état général reste bon, il n'y a pas de signe de déshydratation.

Le bébé sera pesé pour déceler une éventuelle perte de poids et avoir un poids de référence pour les jours qui viennent... Puis l'on attaque le traitement !

Bien sûr la gastro-entérite garde une mauvaise réputation. Elle fait un peu peur. Car un bébé, c'est plein d'eau : 80 % du poids du corps ! Et il lui faut beaucoup d'eau, ou de liquide en tout cas, pour maintenir cet état d'hydratation. Donc, quand l'eau s'en va par en haut et par en bas, on sent bien qu'il faut vite faire quelque chose...

Heureusement, il y aura très souvent plus de peur que de mal. On ne voit plus guère la « toxicose » d'antan, hantise des générations antérieures, un état toxique lequel l'enfant pouvait s'installer s'il n'était pas réhydraté à temps.

Le traitement va s'articuler autour de trois points : maintenir une bonne hydratation ; diminuer les diarrhées ; réalimenter.

Maintenir l'hydratation, c'est l'essentiel

Les diarrhées ne vont pas pouvoir s'arrêter en quelques heures... D'ici là, il faut s'attacher à compenser par en haut ce que bébé perd par en bas... Donc lui donner à boire !

Mais comment faire puisqu'il vomit ou refuse de boire ? En lui donnant des petites doses très répétées de solutions minérales ou **solutés de réhydratation orale** (SOR). Il s'agit de solutions qui apportent à la fois de l'eau, mais également des sels minéraux. Cet apport minéral, en rééquilibrant le désordre métabolique, va diminuer les vomissements. Et donc permettre un «regonflage» progressif en eau.

Ces solutions sont obtenues en mélangeant, dans un biberon, des sachets de poudre avec 200 cl d'eau (minérale type Évian®). Noms commerciaux : Adiaril®, Alhydrate®, GES 45 Fanolyte®, entre autres.

Le biberon ainsi préparé sera proposé à l'enfant. Très souvent, tous les quarts d'heure au début. Assez rapidement l'enfant va en boire un peu, puis en accepter des quantités de plus en plus importantes. Il ne faut pas être trop pressé. Mieux vaut de petites quantités bien tolérées et gardées que de trop grandes quantités rejetées. Au bout de 12-48 heures, la tolérance gastrique est retrouvée et l'on peut arrêter le traitement. Il est possible, pour adoucir le goût, de rajouter à ces solutions de petites quantités de sirop, mais non pas de les mélanger à des jus de fruits ou sodas.

Diminuer les diarrhées

Il faut bien dire que ces diarrhées s'arrêteront d'elles-mêmes quand la charge virale intestinale s'évacuera. Avec les selles justement…

Mais il vaut mieux essayer de raccourcir ce délai Et d'obtenir, le temps de cette élimination des virus, une perte d'eau moins importante. Donc des selles moins liquides.

Il y a deux moyens d'action : la qualité du lait et les médicaments.

▶ **Pour un nourrisson au sein** : l'allaitement maternel sera continué et chaque tétée sera complétée par une solution de réhydratation donnée à volonté.

▶ **Pour un nourrisson nourri au lait artificiel** : on a longtemps considéré que le lactose contenu dans le lait était un facteur irritant pour le tube digestif fragilisé; qu'il fallait donc arrêter le lait en poudre habituel jusqu'au retour de selles normales. Certaines «instances» pédiatriques ont fait marche arrière sur ce point, en venant bousculer un dogme bien installé dans les mentalités aussi bien médicales que parentales.

C'est donc le médecin qui jugera s'il faut reprendre le lait habituel quand l'enfant ne vomit plus ou s'il faut donner un «lait spécial»: sans lactose (HN25®, Diargal®, Al 110®, Olac®, Modilac® sans lactose) ou avec des probiotiques (lait contenant du bifidus, substance très fortement présente dans le lait maternel et reconnue comme agent protecteur des cellules intestinales).

▶ **Chez le nourrisson, peu de médicaments sont prescrits,** car ils sont jugés inutiles ou dangereux à cet âge. La seule thérapeutique se réduira donc souvent à trois classes de produits:

– Ceux qui agissent sur la durée de la diarrhée, tels le Smecta®. Mais il s'agit plutôt d'un traitement de confort et dont l'acceptation reste difficile.

– Les probiotiques, tels l'ultra-levure ou le Lactéol® fort, qui facilitent la digestion du lactose.

– Le Tiorfan® (acétorfan), qui a le mérite de diminuer le débit des selles et de raccourcir la durée des diarrhées. Les selles sont à la fois moins liquides et moins nombreuses. Présenté en sachet de poudre, le produit sera absorbé après mélange dans un peu d'eau ou dans l'alimentation.

▶ **Quand aux antibiotiques,** ils ne sont d'aucune utilité dans les gastro-entérites virales, qui représentent 90 % des cas – le virus le plus fréquent étant, chez le nourrisson, le rotavirus. Ils seront par contre prescrits si la diarrhée est due à une bactérie: shigelle ou salmonelle. Ces diarrhées d'origine bactérienne (10 % des cas) seront suspectées s'il existe des traces de sang dans les selles ou une fièvre élevée. Dans ce cas, le médecin demandera une analyse des selles, ou coproculture, qui dépistera la bactérie.

Réalimenter

La réalimentation doit être rapide., même si la fréquence des selles reste importante. Cette renutrition précoce va raccourcir la durée de cette diarrhée, permettre une reprise du poids et améliorer le tonus du bébé.

EN RÉSUMÉ ET SELON L'ÂGE DU NOURRISSON

• *De la naissance à 3 mois :* SOR pendant 24 à 48 heures à volonté ; dès le 2ᵉ jour : lait « spécial » ; au bout d'une semaine : lait habituel réintroduit progressivement en 2-3 jours.

• *Pour l'enfant nourri au sein :* lait maternel + SOR.

• *À partir de 4 mois :* SOR pendant 12 à 24 heures ; puis lait habituel ou « spécial » ; nutriments antidiarrhéiques préférentiels : carotte, riz, pomme-coing, pomme-banane.

Si la majorité des gastro-entérites guérissent avec une diététique adaptée, certains nourrissons doivent être hospitalisés quelques heures ou quelques jours, soit qu'il s'agisse de très jeunes bébés, encore bien fragiles, soit qu'il existe un début de déshydratation. Ces nourrissons seront réhydratés par perfusion intraveineuse. Comme les copains, une fois l'épisode aigu passé, ils vont se rattraper en mangeant comme des voraces, refaire leurs joues et arrondir leur bidon. La vaccination anti-rotavirus (voir p. 132) est très vigoureusement conseillée !

La varicelle

«Tiens! L'enfant est aujourd'hui un peu grognon…» Quelques heures plus tard, au moment de la toilette ou du change, vous découvrirez des petits points rouges disséminés un peu partout sur le corps… Et puis bientôt: «Tiens! Des petites bulles se sont installées sur ces points rouges…» Allez, hop chez le médecin! C'est la varicelle!

Malgré son jeune âge, le nourrisson de moins d'un an peut faire une varicelle. L'éruption est souvent très peu importante et l'évolution simple en une semaine. Votre enfant se vengera en disséminant le virus à ses petits copains et à tout l'entourage. Les enfants non immunisés feront peut-être alors eux aussi la maladie. Et parfois certains adultes (ce qui n'est pas un cadeau!)

Le traitement est simple

▶ Pas d'antibiotiques, sauf complication.

▶ Antiseptiques sur les boutons, type Diaseptyl® ou Biseptine®.

▶ Anti-histaminiques pour diminuer les démangeaisons.

▶ En cas de fièvre: paracétamol, jamais d'aspirine.

▶ Jamais d'anti-inflammatoires: ibuprofène (Advil®) ou corticoïdes (Célestène®).

Les étapes clés
du développement
et les conseils qui vont avec !

De la naissance jusqu'à l'acquisition de la marche, le développement de l'enfant connaît une véritable révolution.

Jusqu'à 1 mois et demi à 2 mois

L'enfant communique en exprimant ses besoins nutritifs, en signalant sa gêne ou ses douleurs éventuelles, en s'apaisant dans les bras. Pendant cette période, les parents veillent donc à combler les besoins, à bercer l'enfant, à le protéger, à détecter le moindre trouble de santé. L'enfant dort beaucoup, il est aimé, admiré.

Un jour, vers 1 mois et demi ou 2 mois, il fait un sourire en voyant apparaître le visage de ses parents. Ce sourire « réponse » est très émouvant car il connecte encore plus l'enfant à ses parents. C'est le lien, l'appartenance, la reconnaissance. Même si l'enfant sourit aussi aux autres membres de la famille ou à des inconnus comme le médecin, même s'il sourit à des grimaces du frère aîné, il exprime sa joie innocente et participe. C'est la première preuve objective de son intelligence et de sa relation sociale.

De 2 à 5 mois, la période bénie des dieux!

L'enfant pousse tranquillement, il découvre les objets, il met tout à la bouche, il sourit de plus en plus, il n'exprime que peu ses frustrations; il est heu-reux! Et ses parents donc!

À 5 mois, il sait se retourner sur le ventre

Il essaye vainement pendant quelque temps, puis un jour ça y est; en basculant une jambe de côté, le reste du corps a suivi et hop! il se retrouve sur le ventre. Il découvre ce jour-là sa première autonomie de mouvement.

Mais attention, l'enfant ne prévient pas de ses nouvelles prouesses... Et c'est souvent par une chute que la mère découvre cet exploit physique. Alors qu'elle l'avait installé tranquillement sur le dos au milieu du lit familial ou sur un canapé, la mère qui s'est quelque peu éloignée entend subitement des pleurs et retrouve le nourrisson... sur le sol! L'enfant s'est retourné et a basculé dans le vide.

À cet âge on ne peut plus quitter d'un œil son enfant quand il est éveillé. Il n'est plus placé en hauteur mais sur le plan du sol. Quant au change sur la table à langer, il est impératif de toujours garder une main sur le corps de son enfant pendant que l'on cherche un produit quelconque.

Vers 5-6 mois, on sent que ça change

Quelque chose le démange; il est moins calme, pique des colères quand on le change ou le baigne. Il ne se calme que dans les bras, et il faut le promener en permanence dans la maison, ou dehors dans le porte-bébé ou la poussette.

Le chéri deviendrait-il capricieux? Non, il est tout simplement frustré! De quoi? De regarder ce satané mobile et le plafond, de rester allongé sur le dos, de ne rien voir de ce monde si plein de choses si attirantes.

Il est si content par contre d'être placé et soutenu assis, puis d'être mis debout et soutenu ; si fier d'utiliser ses membres, de regarder alentour. Il a la banane ! Ses yeux pétillent, il est fier et heureux. Mais n'est-ce pas dangereux de le mettre assis ou debout ? Son dos ne va-t-il pas se tasser ? ses jambes ne vont-elles pas s'arquer ? Bien sûr que non ! Comment l'enfant pourrait-il un jour marcher s'il n'était pas mis debout avant ? Comment pourrait-il « rester » assis si on ne l'aidait pas à découvrir cette position ? Quand aux moments adéquats pour l'installer assis et debout, seul l'enfant les connaît. S'il n'aime pas, il vous le fait savoir en chignant ou pleurant ; si par contre il sourit, c'est bien le bon moment.

Ce que l'enfant aime faire et sait faire, c'est forcément bon pour lui !

Donc veuillez passer outre les conseils éclairés des puéri-dictateurs en herbe ou diplômés, et faites plaisir à votre enfant. Il vous le rendra bien par sa joie. C'est l'enfant qui fabrique les parents, c'est bien connu.

Évidemment, fini le plan-plan ! Ce que l'enfant apprécie, il veut le retrouver, comme toujours… Vous vous êtes « occupé de » votre enfant jusqu'à présent, maintenant il va falloir « l'occuper ! » Et jouer !

À 6 mois et demi, il tient assis seul

Au début, il restait penché en avant et se soutenait avec ses mains, maintenant ça y est. À force de connaître cette position, il s'est musclé et équilibré ; et il tient assis tout seul, son dos bien droit au-dessus d'une assise fessière élastique et bien rembourrée. Et là, assis et bien calé, que fait l'enfant ? Il fait le tour de son nouveau domaine, comme tout nouveau propriétaire. Que vois-je ? Un doudou ? Un cube ? Un trousseau de clés multicolores ? Goûtons voir ! Et ce n'est que joie d'apercevoir, puis prendre en mains, puis mettre en bouche.

Dès que l'enfant tient seul assis, il a besoin de jouer et découvrir. Besoin de jouer avec un parent qui prendra un objet, le lui tendra, le récupérera une fois que l'enfant l'aura goûté et lâché, et recommencera avec un autre. Ce jeu peut durer longtemps… Et comme il plaît, tout le monde est content.

Quand le parent siffle la fin de la récréation, parce qu'il faut bien aller s'occuper de la maison, l'enfant sera placé dans son parc ou dans un espace sécurisé, les jouets autour de lui.

Mais attention, le calme et la tranquillité ne sont pas assurés. L'enfant se lasse vite des jouets trop connus ; il veut du neuf ! Et s'il pleure, cela veut peut-être dire : « Écoute maman, ce cube rouge, ce rond vert, j'en ai marre, je les ai inspectés, sucés, mordus, ils ne m'intéressent plus, tu ne pourrais pas aller m'acheter d'autres trucs à me mettre sous l'œil ou sous la dent ? »

L'enfant ayant besoin de nourrir un cerveau avide de découverte, il va falloir lui procurer des formes, des couleurs, des textures différentes de manière régulière. Sinon, il s'ennuie ! Et le manifeste en pleurant ou en s'agitant.

De 7 à 9 mois, les étapes s'accélèrent

L'enfant ne marche pas encore, mais les parents, eux, beaucoup ! Leur bébé, qui n'aime plus du tout être sur le dos, sait de retourner rapidement sur le ventre, se met alors à ramper en poussant sur ses pieds, va chercher un objet puis se met tout seul assis et peut tout à loisir observer et goûter sa nouvelle proie.

C'est dire que la sécurisation de son espace est importante. Il faut en permanence vérifier qu'il ne peut pas atteindre un objet dangereux.

Bientôt, ramper comme un sioux ne lui suffit pas, il passe à la vitesse supérieure et découvre les joies du quatre-pattes. Allure lente et prudente au départ ; mais c'est bientôt *speedy-baby*, véritable drone à tête chercheuse, avide d'aller découvrir tout ce qui se trouve à sa hauteur et très doué pour dénicher l'impensable. Et si le quatre-pattes est trop difficile, certains enfants inventent la fesse-glissade. C'est un dispositif très ingénieux, consistant chez l'enfant assis, à étendre ses jambes devant lui, crocheter le sol avec les talons puis ramener les fesses vers ses pieds. Cette serpillière ambulante peut parcourir ainsi de longues distances.

C'est le moment pour les parents de faire une petite régression physiologique… et de se mettre à leur tour à quatre pattes ! Ils vont pouvoir ainsi parcourir tout le domicile, vérifier ce que leur bébé peut voir à 30 cm de hauteur, ce qu'il peut toucher, tirer, mettre à la bouche. C'est souvent très instructif ; en tout cas cela permet, au cours de ce parcours de sécurisation, d'enlever, de nettoyer, et de délimiter un espace dans lequel l'enfant pourra évoluer sans danger. Les prises électriques seront sécurisées, le sol et le dessous des meubles vérifié, les fils rangés.

Une grande partie du domicile va désormais se transformer, car vous n'êtes plus chez vous… C'est le bébé qui est chez lui. Et encore ce n'est que le début !

Mais bien sûr, marcher à quatre pattes, se relever sur ses deux jambes, finalement ça épuise ! Une seule solution pour continuer l'exploration, se balader dans un baby-trotteur (voir p. 179) et surtout réclamer les bras. Le trotteur, c'est génial mais souvent l'espace d'action est réduit, tandis que les bras, ça repose, et puis on voit tellement de choses plus intéressantes là-haut !

C'est l'époque dure pour les parents qui deviennent un peu des esclaves marcheurs et porteurs, prisonniers qu'ils sont de l'envie permanente de l'enfant d'aller ici, puis là, pour voir, toucher.

L'enfant qui ne marche pas encore a besoin d'un véhicule de substitution pour accumuler le plus de sensations nouvelles. S'il ne les obtient pas, sa frustration s'exprimera par de l'agitation ou des pleurs. On ne dit pas non à l'enfant de cet âge, on le laisse découvrir, en sécurisant son périmètre d'action. On accepte d'être à sa disposition et de le porter pour l'emmener découvrir de nouvelles choses. Si l'enfant est gardé par une nourrice, il est judicieux de s'assurer que cette dernière pourra être assez disponible pour venir combler un impérieux besoin d'exploration.

De 10 à 12 mois : l'enfant grimpeur

Bientôt, en prenant appui sur un meuble, l'enfant se met debout. Et debout, il peut lever son bras et atteindre tout objet à 80 cm du sol. Il faut alors tout revoir dans l'organisation du domicile et tout cacher ou relever d'autant.

L'enfant s'accroche à tout, voudrait tout escalader et, bien sûr, risque de basculer. Poser son enfant pour vaquer tranquillement aux tâches domestiques devient une gageure. Assis par terre, l'enfant réclame vite les bras, ou n'apprécie plus longtemps de rester seul dans son parc. S'il est en dehors de son parc, son côté kamikaze oblige la mère à le suivre pour le surveiller. Bref, la mère ne peut plus rien faire pour elle. Elle ne peut finalement que prendre l'enfant avec elle, dans un bras, et faire ce qu'elle a à faire de l'autre. Difficile et épuisant.

Son trotteur, il n'en veut plus ! Il préfère se mettre debout tout seul et avancer ses jambes en s'appuyant sur tout et n'importe quoi.

Quelle époque ! Vivement qu'il marche le bougre !

Il marche!

Enfin! Ça y est, il marche ce bébé! Vers l'âge de 12 mois, ou plus tard; parfois beaucoup plus tard[1].

Fini les bras, je suis un grand! C'est la fin d'un chapitre de vie (et de ce livre aussi). Le petit d'homme est devenu bipède!

Il est tellement heureux et fier que parfois il fait de belles ruades dans les bras et veut se remettre au sol. Et gambader, et tomber, et se relever, vivre sa vie quoi! Il va falloir le suivre dans ses aventures, courir après lui, le surveiller d'encore plus près. Il marche, certes, mais c'est lui qui va vous faire marcher; pour longtemps! Les parents n'ont plus qu'à se muscler les bras et le dos… en attendant.

---

1. En Occident, l'enfant marche en général vers 12 mois. Des retards de tonus physiologiques sont très fréquents, et il n'est pas rare de ne voir marcher un enfant qu'à l'âge de 16, 18, voire 20 mois. Quant aux bébés possédant d'autres structures génétiques, la marche est souvent plus précoce. D'un bébé africain qui ne marche pas encore à 9 mois, on dira de lui qu'il est paresseux! Chacun son programme!

Le baby-trotteur

Ah les roulettes… Quel pied mes parents! Enfin je peux aller explorer, toucher, prendre, palper, goûter, jeter! Deux petits coups de rein et hop! je surfe à gauche… Trois mouvements de pieds et hop! je glisse à droite… C'est le manège permanent! Merci papa, merci maman!

Le baby-trotteur : c'est bien ?

C'est génial! Pour lui c'est un cadeau extraordinaire. Bébé rongeait son frein depuis quelques semaines… Tous ces objets attirants qu'il voyait autour de lui sans pouvoir les approcher, les toucher… Maintenant ça suffit! Il a des fourmis dans les jambes, il veut bouger, découvrir le monde… Allongé dans son lit, il en a assez de regarder le plafond ou ce sacré mobile! Dans les bras de ses parents, il est frustré de ne pas aller là ou il voudrait. Et quand il est assis, jouer avec la «girafe» ou les peluches, ça commence à lasser! Aujourd'hui ça y est! Il peut enfin aller voir… Il a gagné son autonomie, il peut choisir de rouler par là, ou non, plutôt par ici… Il observe de plus près, il prend (si c'est permis…), il découvre, il analyse, avec son petit air sérieux et interrogateur, il goûte (en cachette…), il fait travailler ses petites jambes… et son cerveau! Car c'est (aussi) grâce à ses talents d'explorateur qu'il construit son «intelligence». En allant voir «de plus près», il emmagasine des sensations: visuelles, tactiles, gustatives aussi – méfiez-vous! Grâce à tous ces objets, tous ces nouveaux stimuli, il organise sa pensée, son jugement, ses préférences.

Le baby-trotteur, c'est vraiment la tête et les jambes !

Pour la mère, cela n'est pas mal non plus

Outre la fierté de découvrir chez son enfant ce besoin de découverte, elle peut enfin souffler et obtenir plusieurs fois par jour de longues plages de repos sans être obligée de porter son enfant. Les roulettes remplacent enfin les bras ! ça soulage…

Est-ce que cela déforme les jambes ?

Absolument pas ! Il faut surtout raisonner à l'inverse, en s'appuyant sur cette loi physiologique qui dit que la fonction crée l'organe. En se mettant par intermittence en appui sur ses jambes, l'enfant « fortifie » ses hanches et ses membres inférieurs et se prépare à la marche. Avec une échographie des hanches normale et sa dose quotidienne de vitamine D, rien à craindre !

Quand lui offrir cette première voiture ?

En moyenne à partir de 6 mois et demi environ, quand votre enfant tient assis seul sans soutien. À cette période de son développement, il aime déjà et de plus en plus se retrouver en station debout, soutenu par un parent. Dans cette position, il s'éclate, il sourit à pleines gencives (ou à quelques dents…) et ouvre tout grand ses yeux. C'est la joie ! Ses jambes le soutiennent de plus en plus longtemps et il peut enfin voir le monde autour de lui. Votre enfant est alors prêt pour sa première leçon de conduite !

Les premiers tours de piste

Surpris, ils se font à l'envers ! Installé dans sa torpédo six cylindres à roulettes, l'enfant s'est mis debout, les mains sur le volant-tablette devant lui. Il se hisse sur la pointe des pieds et après quelques manœuvres balbutiantes de démarrage… ça y est! ça bouge! Et il part… en arrière!

C'est une phase normale et transitoire due à la position du bébé qui, restant encore en position demi-assise, garde le poids de son corps en arrière. Bien vite il va comprendre que pour enclencher la première, il faut basculer le poids de son corps vers l'avant. Et ce ne seront bientôt plus que surfs, valses et tourbillons. Notre pilote danseur est aux anges.

Combien de temps les séances?

Tout comme l'allaitement, c'est «le trotteur à la demande». Dès que notre explorateur se lasse, se fatigue ou a le postérieur gêné par quelque remplissage malencontreux, il va le signaler par le seul klaxon qu'ils connaissent: grognements ou pleurs. La séance est finie! Mais il va vite en redemander! Jusqu'à ce qu'il soit prêt pour la marche ou qu'il découvre les nouvelles joies du 4x4 – pardon! du quatre-pattes…

Quelques conseils

▶ **Pour rouler au mieux:** un plancher en bois ou en carrelage.

▶ **Pour chausser les pieds du bébé:** pas de chaussures rigides, mais des chaussettes avec semelles souples renforcées de picots antidérapants.

▶ **Dégagez une aire de roulage** sans danger et sans obstacle.

▶ **Les objets fragiles ou dangereux** auront été écartés ou surélevés. Sinon, vous découvrirez vite une étymologie possible du youpala (autre nom pour le baby-trotteur), qui pourrait bien signifier: «Youp! Pas là!»

◗ **Délimitez les zones interdites infranchissables** – parce que dangereuses pour l'enfant ou inquiétantes pour votre mobilier – que vous aurez choisies, telle la cuisine ou la superbe plante verte…

◗ **S'il existe un escalier chez vous**, vérifiez surtout impérativement et systématiquement que la barrière de cet escalier est fermée, bloquée et impossible à débloquer par le bébé.

◗ **Méfiez-vous**, il est très doué, très patient et très curieux!

Dans quelques mois, des fourmis supplémentaires dans les jambes vont le conduire inexorablement à vouloir rester debout tout seul. En s'accrochant de-ci de-là avec ses mains, il va découvrir une nouvelle joie: bouger tout seul! Grâce à son propre équilibre, sa hardiesse, sa volonté. Sans volant ni roulettes! C'est encore mieux!

Alors le bébé trotteur n'aura plus du tout d'intérêt pour lui. Au garage la voiture de collection! Mais qu'est ce qu'on s'est éclaté!

Un enfant, ça «pompe» énormément!

Bientôt, après les premières semaines d'émotions, d'extase joyeuse, d'inquiétudes, d'adaptation, plus le temps de se reposer ni de souffler! Au contraire, le bébé a pris des forces, du poids et de l'énergie, il en réclame de plus en plus. Il dort moins, il commence à nous montrer son petit caractère (et il a l'air d'en avoir, le bougre!) Bref! Avant, on le pensait un peu; maintenant, on peut vraiment l'avouer : **un enfant ça demande une sacrée santé.**

Il est donc tout à fait logique et normal que la mère se sente un peu épuisée par cet être si charmant mais si prenant! L'accumulation des tâches domestiques, les courses, les soins du bébé, l'allaitement, l'endormissement, tout cela dépasse largement les 35 heures par semaine...

Et si l'on y rajoute un sommeil nocturne réduit par ce charmant petit bout qui veut absolument vérifier chaque nuit que ses parents sont toujours bien là, il devient normal de se demander si l'on va tenir la route de ce nouveau CDI – avec heures sup'!

Dans la majorité des cas les choses se passeront bien finalement, parce que la mère est jeune, en pleine santé, qu'elle est aidée, qu'elle se sent entourée, qu'elle réussit à s'organiser et qu'elle peut parler de ses petits soucis avec le père, la famille, les amies.

Parfois il arrive que l'on perde pied! Parce que physiquement on ne tient pas le coup, parce que le bébé est «difficile», en permanence accroché aux bras le jour et en pleine forme la nuit... Parce l'on est seule pour faire face, sans famille proche, sans beaucoup d'aide de la part du compagnon qui part tôt le matin et rentre tard le soir, fatigué lui aussi... Parce qu'il n'y a plus de temps pour soi, pour souffler, pour exister «comme avant», parce que la vie de couple est devenue du coup... aléatoire.

Que faire alors?

D'abord, dites-vous bien que **peu de mères échappent, à un moment ou à un autre, à cette baisse de moral.** Même si elle n'est pas exprimée.

Et justement, elle n'est pas souvent exprimée! Car avouer que son bébé peut perturber, ne serait-ce que de manière passagère, son propre équilibre, cela n'entre pas du tout dans le cadre du «politiquement correct» des sentiments supposés de la jeune maman.

Sentiments qui se doivent, bien sûr, de n'être en permanence que «sérénité calme et volupté»! Et l'expression, forcément émue, d'un bonheur de tous les instants.

Eh bien non! C'est faux! Tout comme la grossesse, qui n'est pas toujours un long fleuve tranquille, osons le dire: un bébé, malgré tout l'amour qu'on lui porte, c'est perturbant et contraignant. Vous n'avez donc pas à vous sentir «coupable»!

Ensuite il ne faut pas se renfermer, s'installer doucement mais sûrement dans l'isolement. **Il faut en parler!** En parler aux amies qui vous avoueront qu'elles aussi ont connu des moments de doute, à vos parents, qui se souviendront, eux aussi, des petits tourments d'antan, à sa belle-famille – n'ayez pas peur qu'elle vous prenne d'emblée comme immature – mais, bien sûr, en priorité à son compagnon, le père du bébé. N'ayez pas la crainte de le perturber avec vos petits soucis. Sachez que justement, ce père, qui se sent forcément plus ou moins exclu, sera valorisé de pouvoir intervenir dans la vie de ce nouveau couple mère-enfant.

D'un point de vue pratique, des solutions pourront être envisagées :
▶ une aide familiale qui viendra vous soulager dans les tâches domestiques,
▶ des amies qui passeront vous voir ou vous aideront pour les courses,
▶ une baby-sitter qui pourra vous permettre de sortir de votre nid, de penser un peu à vous et de vous «aérer» les jambes et l'esprit.

Quant à vous, **heureux pères qui pensez que tout «baigne» toujours à la maison, soyez vigilants** si votre compagne ne se plaint jamais. C'est louche !
Votre compagne est bien sûr une mère parfaite, mais quand même...
Quelques heures passées peut être tout seul à vous occuper de votre petit bout vous auront vite convaincus que – malgré l'Amour – un bébé, c'est du boulot ! Surtout à temps complet !
Soyez attentifs au «moral» de votre femme, aux expressions diverses et variées qui pourraient témoigner de sa fatigue.

Et puis un conseil : n'hésitez pas à la sortir de son quotidien, quitte à la secouer un peu. Emmenez-la de temps en temps dîner au restaurant, organisez des soirées avec des amis, et n'oubliez surtout pas les petits week-ends de «remise en couple», ça fait du bien et ça remet les idées en place...

Est-ce qu'il « pousse » bien, mon bébé ?

Préoccupation ô combien essentielle et légitime des parents, surtout dans les premiers mois: la bonne croissance de son petit bout. Est-il dans «les normes»? N'est-il pas trop gros, trop mince? Est-il plutôt en avance, dans la moyenne?

La plupart du temps les avis de la famille, des amis, des voisins, sont tout à fait rassurants: «Comme il a changé! Comme il a bien pris!»

Mais certaines réflexions peuvent venir semer le doute: «Ah bon! Il ne boit que tant à chaque biberon? Moi, le mien, à son âge, il prenait déjà tant en plus!» Ou bien: «Dites-moi, on peut vraiment dire qu'il profite! Vous lui donnez de la farine?» Ou encore: «Vous êtes sûre d'avoir assez de lait? Il a l'air affamé ce petit!»

Autre situation déstabilisante, c'est la comparaison «morphologique» avec d'autres bébés du même âge. Aucune mère ne peut s'en empêcher. Tout est bien sûr rassurant si son propre bébé est à l'évidence le plus costaud. Mais que le rapport soit en sa défaveur, cela devient un peu frustrant!

Soyez rassurée: **si les besoins nutritionnels de votre enfant sont comblés, en qualité et quantité, il a forcément le poids et la taille que son programme interne a décidé.** C'est son rythme à lui.

Il est et sera ce que sa génétique a décidé. Sa mimique, sa frimousse, ses cheveux, ses yeux, tout cela est programmé. Rien ne peut bouleverser cet ordre des choses inscrit dans son patrimoine génétique. Pour le poids et la taille, c'est pareil! Son rythme de croissance, c'est le sien!

Le suivi de votre nourrisson s'établit en étudiant ses courbes de croissance pondérale et staturale. Depuis le temps que les enfants ont pu être mesurés et pesés en fonction de leur âge, des « courbes de croissance statistiques » ont été construites. L'on a ainsi déterminé des courbes de taille et de poids de référence. Pour les filles et les garçons.

Il existe une courbe dite « moyenne » et des courbes dites de « déviation » se situant de part et d'autre autour de cette moyenne. Ces déviations sont appelées déviations standard ou DS. Dans le carnet de santé de votre enfant vous pouvez les visualiser. Les médecins en ont également à leur disposition, permettant de suivre de manière un peu plus précise cette croissance.

Ce que vous apprend l'étude de sa courbe de croissance

Pour apprécier la « poussée » de votre enfant et avoir une idée de la courbe sur laquelle il se situe, il suffit de reporter sur le diagramme les différents poids et taille que vous-même ou le médecin avez notés au cours des semaines et des mois depuis la naissance.

1. La réponse « instantanée »

C'est la réponse immédiate de l'état de son poids et de sa taille à un jour J, quand vous positionnez ce jour-là sur le diagramme les données de la balance et de la toise.

Vous obtenez alors son « point » de croissance. Et selon la position de ce point sur le diagramme, vous pouvez vous faire une idée, savoir «où il en est»: plus ou moins gros, plus ou moins grand par rapport à la «moyenne».

2. L'étude dynamique est beaucoup plus intéressante

Le positionnement régulier des mesures successives vous permet, en réunissant les «points» du diagramme, de déterminer quel est le type de courbe autour de laquelle évolue le bébé.

Le poids et la taille de naissance donnent déjà, évidemment, une bonne idée du type de courbe dans laquelle va s'installer votre enfant. Un enfant né à 4 kg et 53 cm n'aura évidemment pas la même courbe de croissance qu'un enfant né à 2,5 kg et 48 cm.

Mais attention! Rien n'est vraiment joué. Et l'on peut assister, pendant les premières semaines ou premiers mois à des revirements de situation: le costaud grossit moins que prévu et le poids plume effectue un «rattrapage» en poussant comme un chef!

C'est dire que ce n'est pas avant 3 mois que l'on peut connaître avec une certaine réalité le «couloir» de croissance – entre telle ou telle courbe – dans lequel va s'installer votre enfant.

Entre 3 et 6 mois, ça y est! Il a atteint sa vitesse de croisière. Les points successifs des différents poids et taille en arrivent à dessiner une tendance réelle qui va devenir sa courbe, l'expression de son moteur de croissance propre.

QUELQUES REMARQUES

Sa croissance en taille représente plus fidèlement sa signature génétique que le poids (qui, lui, pourra beaucoup varier dans le futur et dépend de facteurs externes multiples).

Vous allez donc pouvoir noter son couloir de croissance staturale, c'est-à-dire vers quelle courbe de taille il se rapproche le plus : au-dessus de la courbe moyenne : + 1DS, + 2DS ou au-delà ; ou en dessous : – 1DS, – 2DS ou en deçà.

S'annonce-t-il plutôt basketteur ou plutôt jockey ? Ou sera-t-il comme la majorité de ses copains et copines, d'une taille dite « normale », sur la moyenne.

La plupart du temps, il n'y a pas trop de surprise. La taille de l'enfant est le reflet de celle de ses parents. Et quand un des deux parents est nettement plus grand que l'autre... À vous d'observer de quel côté va pencher la génétique...

La courbe de poids peut se superposer parfaitement à la courbe de taille ou s'en écarter, c'est variable. Mais il n'est pas question, dans ces premiers mois, de s'inquiéter si les courbes de poids et de taille sont légèrement dissociées. Si le bébé est plus lourd que grand, il n'est pas question de le considérer d'emblée comme trop gros et de vouloir instaurer un régime. Pas plus qu'il ne faut vouloir absolument gaver un bébé qui aurait le tort d'être plutôt « long » et peu « épais ».

Chacun son rythme ! Chacun son programme ! Il n'y a pas de bébé « modèle ».

La surveillance des courbes de croissance de l'enfant est importante

C'est dire l'intérêt d'un carnet de santé régulièrement rempli au cours des différentes consultations. Car en suivant de près les différents points de poids et de taille, nous allons pouvoir observer sa vitesse de croissance.

La plupart du temps, le nourrisson suit son bonhomme de chemin. En s'écartant peu du couloir dans lequel il s'est positionné. Il a une vitesse de croissance normale. Il suit « son » couloir, « sa » courbe.

Mais certains incidents de santé auront une répercussion directe sur cette croissance. Notamment sur la croissance pondérale.

C'est le cas des gastro-entérites qui entraînent souvent une perte de poids assez importante, une «cassure» de la courbe pondérale. Au point de perdre parfois un couloir entier: l'enfant passant par exemple de la courbe moyenne à la courbe: − 1DS. L'important sera bien sûr de vérifier qu'après guérison de l'incident, l'enfant réintégrera rapidement son couloir habituel. Qu'il y a eu rattrapage du déficit temporaire.

Les incidents mineurs de santé qui émaillent la vie d'un enfant n'ont pas de retentissement sur la courbe de taille. Il faut la survenue d'une pathologie sérieuse et surtout persistante pour que la vitesse de croissance en taille soit diminuée, donc qu'il y ait donc une cassure de la courbe staturale.

A contrario, l'observation d'une cassure de la courbe de taille (passage d'une taille de + 1DS à − 1DS en quelques mois, par exemple) impose d'effectuer un bilan médical approfondi pour en déterminer la cause.

PEUT-ON ANTICIPER SUR LA TAILLE DÉFINITIVE?

De manière grossière, oui ! Un enfant qui navigue régulièrement vers des + 1DS ou + 2DS en courbe de taille a toutes les chances d'être «grand». Et l'inverse est vrai... en théorie. Mais il faut cependant mettre un bémol. Qui est celui de la date future de survenue de la puberté, surtout chez les filles. Car la survenue de cette puberté – les règles chez la fille – signe l'arrêt de la croissance. On voit que cette variable peut venir contredire la supposée taille définitive selon que cette puberté sera précoce ou non. Mais vous avez un peu de temps devant vous...

Pour finir

Notre société prend désormais en compte, et à juste titre, l'excès pondéral et ses conséquences sur la santé. C'est ainsi qu'après des années de vénération de ces beaux bébés bien «remplis», qui étaient en fait le plus souvent bouffis par les farines, l'idéal esthétique du bébé a changé. L'on a compris que le nombre de kilos était loin d'être synonyme de bonne santé.

Mais il ne faudrait pas tomber dans l'excès inverse et paniquer si l'enfant semble un peu «arrondi». Si votre enfant boit et mange «qualitativement» ce qu'il faut, il n'y a aucune crainte à avoir. Il n'y a pas de bébés qui mangent ou boivent au-delà de ce que leur organisme leur impose (en tout cas cela relève de l'exception). Il a un bon bidon? De grosses joues? De bonnes cuisses? Et même «comme de la cellulite» sur le ventre! C'est de la «bonne» graisse, ne vous inquiétez pas! Elle fondra… Et rien ne dit que plus tard il ne sera pas maigre comme un clou…

À l'inverse, ne «forcez» votre nourrisson à manger s'il vous paraît un peu maigrichon. Cela ne servirait qu'à organiser un conflit inutile et perdu d'avance.

Déplacements
et vacances avec bébé

Rendre visite à la famille, déménager, partir en vacances... Les occasions sont nombreuses de bouger avec son petit bout, tout en se demandant s'il n'est pas trop jeune pour voyager, faire une longue route en voiture ou prendre l'avion. Que faut-il plutôt privilégier pour les vacances : la mer, la montagne ?

Avec du bon sens, quelques précautions et en tenant compte de quelques restrictions, votre bébé peut vous suivre partout là où vous avez décidé d'aller. De toute façon, il faut bien aller faire ses premiers bisous à la mami, prendre un peu de congé – c'est très fatigant la vie de bébé... Il y a d'ailleurs, pour se reposer, le « RTT » des bébés : le Rassemblement annuel de Tous les Tétineux nés dans la famille...

Choisissez un lieu de villégiature au climat tempéré, sans grosse chaleur l'été ni grand froid l'hiver. Car votre bébé aura du mal à s'adapter à un changement brutal de température (surtout le chaud). Sa régulation thermique est en effet moins souple et moins au point que celle des adultes. L'été, il vaut donc mieux privilégier l'iode breton ou normand aux grosses chaleurs du littoral sud, l'hiver préférer la cueillette du mimosa aux chalets d'altitude...

Le voyage

Du moment qu'il peut poursuivre pendant le voyage son rythme essentiel, c'est-à-dire boire, reconnaître les siens, se retrouver par moments dans les bras des parents et bien dormir, votre bébé traversera le temps du transport sans encombre et avec un minimum de perturbations.

En tout cas cela, se passera souvent beaucoup mieux pour lui que pour ses parents; qui auront, eux, à organiser «l'expédition», gérer le stress, l'attention, la fatigue, changer l'enfant et donner le sein ou le biberon dans des conditions parfois acrobatiques.

Arrivés à destination, les parents sont KO! Le bébé lui est OK! Il n'a rien capté de différent. Et si l'on espère le repos, il continue pour sa part, quels que soient l'heure ou le lieu, à réclamer la disponibilité de ses parents. Dur dur parfois! Mais on y est arrivé! «Au fait, Mamie! Si vous voulez vous en occuper un moment, on n'est pas contre!»

La voiture

Rien d'autre à dire que:

❯ respecter scrupuleusement les règles de sécurité concernant les modes de fixation du siège et du bébé sur son siège;

❯ être encore plus prudent dans le trafic;

❯ s'arrêter encore plus fréquemment, ce qui permet de nourrir et de changer l'enfant plus commodément (les aires d'autoroute sont maintenant bien pourvues en «coins bébés»).

Si vous devez nourrir votre enfant tout en roulant, vous ne le prendrez jamais avec vous à l'avant! Vous passerez à l'arrière et vous vous attacherez là aussi, bien sûr...

L'avion

Pas de limite d'âge pour prendre l'avion. L'avion de ligne bien sûr, pas le petit coucou! Il est rare cependant qu'un tel voyage soit programmé avant l'âge d'un mois (sauf quand l'enfant s'invite lui-même et naît dans l'avion!).

La difficulté est plutôt rencontrée chez les parents qui doivent garder l'enfant dans les bras pendant toute la durée du vol. Cela se gère assez facilement s'il s'agit d'un nourrisson et d'une durée de vol limitée. Mais un enfant de 9 mois à 1 an qui voyage de longues heures peut perdre patience, se transformer en asticot laboureur de genoux et générer chez les voisins l'utilisation discrète des boules Quies® mises à disposition… En tout cas, pas de médicament «calmant» à donner à cet âge avant ou pendant le vol.

Si l'enfant, avant le voyage, présentait une congestion rhino-pharyngée, utilisez le sérum physiologique et donnez-lui à boire pendant les phases de montée et de descente, pour diminuer les variations de pression sur les tympans.

Le ferry

Les médicaments contre le mal de mer seront recommandés, en cas de forte houle, pour les parents, afin qu'ils puissent rester efficaces envers leur bébé… Le nourrisson, lui, passe allègrement à travers ce joyeux bercement.

Dans la chaleur de l'été

Bébé a chaud, et cela se voit! Sa peau est recouverte d'une fine pellicule de sueur, ses cheveux (s'il en a) sont collés, son visage est chaud, un peu luisant et rosé; puisqu'il se sent mal dans cette moiteur, son sommeil est agité, plus difficile, les pleurs ou geignements plus fréquents.

À 24 °C, l'homme (donc le bébé) n'a ni chaud ni froid. Au-dessus, pour lutter contre la chaleur, nous n'avons que deux moyens:

▶ **la perspiration,** qui élimine la chaleur par voie respiratoire en augmentant la fréquence ventilatoire (mais de manière beaucoup plus discrète quand même que le petit chien qui halète langue pendante…);

▶ **et surtout la sudation,** qui élimine «l'eau chaude» à travers les pores cutanés.

Chez le bébé, dont l'organisme contient jusqu'à 80 % d'eau en poids du corps, cette régulation de la chaleur par la sudation est très rapide et importante. Tout comme la fièvre, la sudation est donc un moyen de défense et un signal. Le signal que nous, parents, nous devons intervenir…

Tout nu !

Ou presque : avec sa couche et éventuellement son body.

À boire !

Son lait bien sûr, mais aussi de l'eau à volonté pour compenser les pertes hydriques souvent importantes provoquées par la sudation. En quelle quantité ? Celle que l'enfant accepte quand vous lui en proposez entre deux rations de lait. Tant qu'il boit, c'est qu'il en a besoin ! Privilégiez les petites quantités répétées.

De l'air !

Il faut aussi aérer. Mais nous abordons ici un sujet sensible… Et l'auteur invite les grands-mères frileuses, les «je sais tout» passéistes, les intégristes de la petite laine, à quitter momentanément cette lecture pour aller regarder dehors le paysage et éviter ainsi l'apoplexie…

Car vous les parents, vous allez devoir transgresser une règle sacrosainte, transmise de générations en générations… Vous allez, chez vous, dans votre maison, dans votre appartement, faire un courant d'air! Un courant d'air? Oui, un cou-rant-d'-air!

Après avoir séché la peau de votre enfant et changé son body s'il était humide, n'hésitez pas à entrouvrir portes et fenêtres pour passer d'une atmosphère lourde et confinée à de l'air circulant: la nuit aussi bien que le jour, que l'enfant dorme ou non, en veillant à ce que cet air puisse parvenir jusqu'au fond du lit du bébé.

Parfois, en plein été et par temps lourd, on a beau ouvrir en grand la maisonnée: pas un brin d'air supplémentaire! Là, il ne faudra pas hésiter à s'aider d'un ventilateur placé à 1 ou 2 m du lit de bébé.

En voiture, même combat! Il faut abaisser suffisamment les vitres pour provoquer une aération circulante jusqu'à l'arrière, là ou bébé est enfoncé dans son siège. Aération d'autant plus nécessaire que le soleil surchauffe l'habitacle.

En résumé, la circulation de l'air apporte le confort, diminue et prévient la sudation.

DEUX REMARQUES

Sur une peau en sueur, la brutale arrivée d'un air frais provoque un refroidissement cutané très rapide. Donc, évitez pour votre enfant le passage brutal de la voiture surchauffée aux rayons «surgelés» du supermarché.

Si votre domicile et votre voiture sont climatisés, l'air est donc «fabriqué». Il suffit de bien régler la climatisation, en se souvenant que, à 24 °C et couverts d'un simple tee-shirt, nous sommes en équilibre thermique. Bébé couvert d'un body aussi.

Dans l'eau

Il faut aussi le baigner. En pleine chaleur, votre nourrisson va nettement apprécier d'aller faire trempette. Dehors, à l'ombre, avec ce que vous avez sous la main : bassine, petite piscine gonflable ; ou à la maison : baignoire, lavabo…

Le confort revient, le bébé est joyeux, la température diminue, et c'est tellement agréable de barboter !

Le soleil

Pas d'exposition directe au soleil chez le jeune enfant ! Et n'oubliez pas que, même à l'ombre, sous un auvent ou un parasol, le rayonnement indirect va pouvoir atteindre l'enfant par réflexion sur le sol. Jusqu'à 30 % du rayonnement direct, selon la nature du sol – la neige et le sable réfléchissent beaucoup les rayons du soleil.

Il faut donc, même à l'ombre, rester prudent et toujours :

◗ couvrir l'enfant : la tête (casquette, bob, foulard) et le corps (body ou tee-shirt) ;

◗ le « tartiner » d'un protecteur solaire efficace. Non pas l'écran « total », qui n'existe pas, mais un écran THP (très haute protection), avec indice de protection (IP) ou facteur de protection solaire (FPS) d'au moins d'au moins 30, de préférence minéral pour les peaux atopiques.

L'écran solaire est indispensable, même à l'ombre (du parasol, d'un arbre, de la terrasse…) et il est impératif d'en « remettre une couche » au moins toutes les 2 heures. Comme il aime être massé, c'est vraiment tout bon pour lui.

Le séjour à la mer

C'est bien sûr possible, mais à deux conditions :

◗ n'emmenez votre enfant à la plage et n'y séjournez qu'aux heures d'ensoleillement minimum.

▶ pensez toujours à vous munir de sa «panoplie» complète: casquette ou foulard, protection solaire, biberons de lait et d'eau, bouteille d'eau minérale, brumisateur, parasol, glacière…

Peut-on le baigner dans la mer?

L'eau est claire, calme, chaude, non polluée? Allez-y! Prenez votre enfant dans vos bras et asseyez-vous avec lui dans l'eau, près du bord. Pendant quelques minutes. Il va aimer! Et en redemandera! En sortant, rincez l'eau de mer de son corps en l'aspergeant doucement d'eau douce – avec une bouteille d'eau ou, mieux, un brumisateur –, séchez-le et tartinez-le de nouveau.

Les problèmes cutanés liés à la chaleur

Gare aux moustiques!

La peau du bébé en sueur est un délice pour les moustiques. Donc, investissez dans les instruments de chasse: moustiquaires autour du berceau et en panneau protecteur sur les zones d'ouverture; diffuseurs électriques placés à 2 m du lit de l'enfant; à l'extérieur, lampe bleue qui attire les insectes pour les brûler, fumée de «tortillon», bougie à la citronnelle.

Boutons et rougeurs

La peau du bébé est fragile… Et la persistance pendant plusieurs heures d'une pellicule de sueur provoque vite une «macération». Sur les zones lisses du corps apparaît une petite éruption diffuse, la miliaire sudorale. Banale, elle ne nécessite bien souvent que l'accentuation des mesures anti-chaleur.

Au niveau des plis du cou, des aisselles, de l'aine, l'accumulation de la sueur dans ces régions, qui ne sont par nature que peu ventilées, entraîne un phénomène de «tropicalisation». Les germes et champignons poussent en effet rapidement dans un milieu chaud, humide et fermé. Les plis deviennent rouges et luisants. C'est dire l'intérêt d'une inspection et d'un lavage régulier de ces zones pendant la toilette, répétée plusieurs fois par jour quand il fait chaud. Bains et ventilation en viendront à bout la plupart du temps, associés à des soins locaux antiseptiques et asséchants. En tout cas, pas de talc! La macération ne ferait qu'augmenter. Parfois un traitement local antibiotique et/ou antifongique sera nécessaire.

L'impétigo

L'acidité sudorale fragilise la peau de l'enfant en diminuant le film lipidique naturel qui protège cette peau. Les germes peuvent donc beaucoup plus facilement s'y installer.

Le staphylocoque ne se fait pas prier et vient lâchement profiter de cette faiblesse transitoire pour tenter de se développer. Et parfois il y arrive, créant une infection cutanée: l'impétigo, sur n'importe quelle partie du corps ou au niveau d'une piqûre de moustique. Si vous remarquez une zone inflammatoire qui persiste, avec déjà des petites croûtes jaunâtres, il faut demander un avis médical.

Le «coup de chaleur»

C'est beaucoup plus grave! Et insidieux! Votre bébé est moins tonique, un peu mou… Il émet des geignements inhabituels, il s'assoupit plus souvent, il boit moins son lait ou son eau. Surtout, sa température est élevée: 39 °C ou plus! C'est le «coup de chaleur», signifiant l'épuisement de ses moyens de défense pour lutter contre la chaleur.

L'appel au médecin doit être immédiat. Si l'hospitalisation s'impose parfois d'emblée (surtout chez le jeune nourrisson), souvent pourront suffire, sous surveillance «rapprochée» à domicile:

◗ le traitement antifièvre répété et régulier;

◗ la réhydratation, en proposant de l'eau très régulièrement, toutes les cinq minutes, par biberon ou seringue buccale.

L'évolution dictera la conduite

L'enfant qui est toujours fébrile et qui ne boit pas doit être hospitalisé. Le retour de la tonicité, le sourire, l'envie retrouvée du biberon, annoncent la fin de l'épisode.

Sans aller jusqu'au véritable coup de chaleur, une simple fièvre, sans contexte clinique ou infectieux quelconque, sera parfois observée. C'est l'alerte que bébé doit rester plus que jamais pendant quelques heures à l'ombre, à l'air et dans l'eau, sans recevoir le moindre rayon de soleil.

Dans le froid de l'hiver

Pas beaucoup de crainte que votre bébé ait froid, car vous savez le couvrir suffisamment. Parfois justement un peu trop! Sachez quand même que, s'il fait très froid dehors, on s'abstiendra de sortir un jeune nourrisson.

À l'intérieur

◗ N'en profitez pas pour trop augmenter le chauffage. La température de la pièce ou dort l'enfant sera maintenue à 19 °C.

◗ Attention aux cheminées qui dégagent souvent de la fumée.

◗ Pas de tabac bien sûr dans toute la maison.

◗ Aérez de temps à autre les pièces de la maison.

▶ Utilisez largement les saturateurs d'eau au niveau des appareils de chauffage.

Si vous habitez ou séjournez en montagne

▶ Méfiez-vous des ballades en porte-bébé style « kangourou ». Que la ballade ne dure pas trop longtemps ; surtout, que les attaches qui enserrent le haut des cuisses du bébé soient suffisamment larges pour éviter toute compression vasculaire, très dangereuse. Remontez de temps en temps bébé en le soutenant par les fesses, pour améliorer quelques instants la circulation des membres inférieurs.

▶ Pas de balade en téléphérique ou en télésiège : la rapide diminution d'oxygénation liée au changement brutal d'altitude est dangereuse…

▶ En voiture et en route vers une station d'altitude, faites une halte vers 1 000 mètres pour acclimater le bébé.

Un jour...

... autour du 12ᵉ mois, mais parfois plus tard...

Un jour...
Oubliée la peur de tomber ! Oubliées les chutes sur le postérieur, fini le quatre-pattes, terminées les glissades prudentes sur les fesses. Un jour... C'est la surprise de se sentir bien équilibré, debout sur ses deux jambes... tellement bien que tout naturellement un pied est parti en avant... que l'autre a suivi... et que...? Mais oui, ça y est, je marche !

Un jour...
Vous allez assister aux premiers pas de votre enfant... L'instant est magique, et tellement émouvant !
Oubliées les craintes des premiers mois, les soucis, les nuits difficiles, les petites maladies... Il est arrivé à bon port. Saine fierté des parents...

« Tu n'es plus vraiment un bébé, mon bébé ! Tu es devenu un grand ! C'est la fin d'une grande étape, celle du premier chemin. Tu vas maintenant pouvoir t'échapper, en gambadant de-ci de-là... Vers Ta Route à Toi.
Mais tu n'en as pas fini avec tes parents... Car ils ne lasseront pas de te prendre désormais... par la main !
Mais ceci est une autre et très belle chanson. -   Prévention générale : www.inpes.fr

Liens utiles

Administratif
www.sante.gouv.fr

Vaccination
www.infovac.fr

Pédiatrie générale
www.bebesante.fr

Mère-enfant
www.degasquet.com
www.physiomat.com

Plagiocéphalie
www.association-plagiocephalie-info-et-soutien.fr

Index

A

abcès du sein 41

accouchement difficile 8

acné du nourrisson 90

aération 197

aérer 196

alimentation à la cuillère 144

allaitement 27

  à la demande 28, 34

  maternel 37

  mixte 42

allergènes 110

allergie 145

  alimentaire 86, 113

  au lait de vache 85

  aux protéines du lait de vache
  80

altitude 202

angiomes plans 109

anneaux de dentition 121

antibiotiques 167, 169

aspirine 158

assistante maternelle agréée
  125

asthme 163

atopie 110, 111

attachement 15

atteintes ORL 152

autonomie de mouvement 172

avion 194

B

baby blues 16

baby-relax 62

baby-trotteur 179

bain 106

balance 188

ballonnement abdominal 82

bavoir 71

BCG 130

bébé secoué 98

besoins 69

  lait 31

nutritionnels 187

biberon 29, 44

«coudés» 48

préparation 30

blé 149

bourgeon ombilical 89

bourses 115

boutons 199

bronchiolite 161

bronchite 74, 76

brossage 95

C

cale-bébé 51, 52

cale-bébés dorsaux 62

canal lacrymal 92

Candida 91

canines 119, 120

capuchon prépucial 115, 116

casque 64

cellules pigmentaires 105

céréales 144

césarienne 8

chaleur 195, 199, 200

chaussettes 100

chaussures 100

cheminée 201

circoncision 117

climatisation 197

co-dodo 50

colères 172

coliques 79

collier 98

communication 68

complément de lait 9

conduit auditif 97

conjonctivite 94

constipation 81

coproculture 168

coqueluche 129

cordon 12

cosy 62

coton-tige 97

coup de chaleur 200

courant d'air 197

courbe de croissance 188

courbe de poids 13

crâne 58

crèche 124

crépitements 161

crevasses du sein 8, 32, 39

crise génitale 90

croissance 187

croûtes de lait 94

cuillère 144

D

décalottage 116

déformation crânienne 57

dentition 23

dents 119

déplacements 193

dermatite atopique 110

dermocorticoïdes 112

développement 171

diarrhées 85, 95, 164, 166

difficultés d'endormissement 136

digestion 72

diphtérie 129

diversification alimentaire 114, 143

doses 31

double pesée 32

doulas 10

douleurs digestives 79

E

écran solaire 198

eczéma 85, 109, 113

atopique 110, 111

emmaillotage 56

engorgement mammaire 40

envies 69

épaississant 76

épiderme grumeleux 91

érythème fessier 95, 121

estomac 72, 74

excès pondéral 191

exposition au soleil 198

F

faim 28

farines 144

faux rhume 74

ferry 195

fièvre 152, 155

fontanelle 57, 95

froid 201

fruits 145

G

gastro-entérites 164, 158

à rotavirus 132

gencives 119, 120

germes 200

gestes interdits 97

glandes sébacées 105

glandes sudoripares 105

gluten 144

gonflement

des glandes mammaires 90

des mains 86

des pieds 86

du visage 86

graduation de la tétine 45

grand-mère 126

H

habitudes diététiques 143

halte-garderie 127

hanches 99, 102

hémangiomes infantiles 108

hépatite B 129

hydratation 112, 165

hygiène cutanée 106

I

ibuprofène 158

immaturité digestive 80

imperméabilité de la peau 112

impétigo 200

incisives 119, 120

infections

bactérienne 156

à haemophilus 129

à pneumocoques 129

intervalle entre deux prises de

lait 33, 34

J

jambes 99

jambes arquées 101

jus de fruits 73

K

kinésithérapie respiratoire 162

L

lactation 39

lait 27

en poudre 30

épaissi 73, 163

maternel 143

de chèvre, brebis, ânesse ou

jument 88

de soja 88

hypo-allergénique (HA) 87

laryngite 153

Leche League 10

légumes 145, 146

bio 147

lingettes 106

literie sécurisée 54

lit parapluie 56

luxation de hanches 102

M

maladies 151

maladie cœliaque 145

marche 177

matelas 54, 55, 73

«à mémoire de forme» 62

«cocoonant», 62

médicaments 157, 167

méningite à méningocoque C
130

mer 198

métatarsus varus 99

météorisme 82

modes de garde 123

montagne 202

montée de lait 8, 32, 37, 38

mort subite du nourrisson 54

moustiques 199

muguet 91, 95

N

nævus pigmentaire congénital
106

nombril 89

nourrice 126

O

œdème 85

œdème laryngé 85

œil qui «coule» 92

œsophage 72, 74, 76

œsophagite 74

œuf 149

ombilic 12

ongles 106

ordonnance de sortie 11

oreillons 130

ORL, incidents 152

ostéo-kinésithérapie 60, 62

otites 22, 153

P

paracétamol 157

paupières collées 92

peau 105

percée dentaire 120

perméabilité de la peau 105

perspiration 196

perte de poids 165

pertes hydriques 196

pertes vaginales 90

petits pots 147

pH de la peau 105

phimosis 116

photothérapie 113

pied-bot 99

pied talus 99

pied valgus 100

plage 198

plaisir 67

pleurs 67

pleurs de douleur 69

PMI (protection maternelle infantile) 13

poids 187, 188, 189

poids de naissance 9

poisson 149

poliomyélite 129

portage 103

portage dorsal 103

portage ventral 103

porte-bébé 103

position du sommeil 49

position latérale 49

position latéralisée 51

positionneur latéral 63

positions d'allaitement 8

pouce 19

poussée dentaire 95, 119, 155

poussée mammaire 90

préférences 69

prématuré 23, 34

prémolaires 119, 120

préparation maison 147

prépuce 116

prises de poids 32

probiotiques 80, 167

problèmes cutanés 199

protection solaire 198

protéines de riz 87

protéines du lait de vache 86

R

rachitisme 101

rayons ultra-violets 105

reflux 80, 86

reflux gastro-œsophagien 71

refroidissement cutané 197

refus 69

régurgitations 71, 73, 74, 85

réhydratation 201

remontées acides 74

réveils nocturnes 137

RGO « pathologique » 76

rhinite 152, 155, 161

rhino-pharyngite 152, 153

risque allergique 148

risque de retournement 52

roséole 154, 155

rot 47

   intermédiaire 48

rougeole 130

rougeurs 91, 199

   cutanées 86

ruban thermique frontal 156

rubéole 130

rythme 35

   de faim 33

S

sages-femmes 10

   libérales 8

salive 120

saveurs 144

sébum 105

sécurisation 175

selles 81, 121, 166, 167

sels minéraux 165

semelles 100, 101

sevrage 42, 43, 44

shampooings 106

sifflements 85, 161

soleil 198

solutés de réhydratation orale 165

sommeil 135

sortie précoce 8

sourire « réponse » 171

spasmes du sanglot 70

sphincter 72

stérilisation 45

stimulations 128

sucette 19

sudation 196

suppositoire de glycérine 82, 83

T

tabac 56, 201

taille 187, 188, 189

température 162

température

   de la pièce 201

   du lait 45

   de la chambre 56

test d'éviction des PLV 86

testicules 115

tétanos 129

tête 57

tétée 39, 50

tétine 19

textures 144

thermomètre
 auriculaire 156
 rectal 156

toise 188

torticolis congénital 60

toux 74, 85, 153, 161

transit 82

troubles du sommeil 135

turbulette 56

U

urticaire 85

V

vacances 193

vaccins 113, 129

varicelle 132, 158, 169

ventilateur 197

ventilation 200

vitamines 11
 vitamine D 11
 vitamine K1 12

voiture 194

voix 67

vomissements 73, 85, 164

voyage 193

Z

zizi 115

Table des matières

Avant propos...**5**

Le séjour «express»en maternité................**7**

Pourquoi cette évolution?...7

Les conséquences pour la mère.................................8

Les conséquences pour le bébé.................................9

Le rôle des sages-femmes..10

L'ordonnance de sortie..11

Les conseils..12

Le retour à la maison..............................**15**

Le premier mois: un vrai big-bang!.........................15

Pouce ou tétine?......................................**19**

Les mères qui choisissent la tétine.........................20

Les mères qui choisissent le pouce.........................20

Qui a raison?..20

Quelques vérités pour vous aider.............................20

Et nos scientifiques, qu'en disent-ils?.....................22

La possibilité d'un scénario catastrophe..................23

Quelques conseils pour ne pas en arriver là.............25

Le lait, la vie! 27

C'est bébé qui manifeste sa faim 28

C'est bébé qui décide de la quantité dont il a besoin.............29

Allaitement à la demande ne veut pas dire laxisme,
anarchie ou esclavage 34

Sein ou biberon?..36

L'allaitement maternel 37

L'allaitement mixte 42

Le sevrage 44

Quelques précisions concernant les biberons 44

Ce fameux rot! 47

«Hourra! pour le rot» 47

Quelques remarques 47

La position du sommeil 49

La position pendant le sommeil....................................49

L'organisation d'une literie sécurisée............................54

L'entourage du bébé 56

La déformation crânienne 57

Comment éviter une déformation du crâne?..........................61

Comment traiter une déformation du crâne?.........................62

Conséquences d'une déformation non traitée 65

Plaisir et pleurs 67

La recherche permanente du plaisir................................67

Les pleurs pour communiquer 68

Les régurgitations 71

Le reflux gastro-œsophagien (RGO) 71

L'œsophagite...74

Faux rhume, toux et bronchites 74

Des signes pathologiques sans régurgitations visibles !..........75

Le traitement du RGO « pathologique » 76

Ah ! ces fameuses coliques…......................79

Pourquoi et quand surviennent ces crises ? 80

L'attitude médicale pratique 80

Parlons un peu de la constipation 81

L'allergie au lait de vache 85

Les signes cliniques de l'APLV 85

Le diagnostic biologique de l'allergie alimentaire 86

Le test d'éviction des PLV 86

Quels laits donner ?...87

Quels laits ne pas donner ?..87

Quand réintroduire le lait de vache ?.................................88

Les petits ennuis 89

Le bourgeon ombilical 89

Le nombril qui « sort » 89

La « crise génitale »..90

« L'acné » du nourrisson 90

Le muguet 91

L'œil qui « coule » 92

La conjonctivite 93

Les « croûtes de lait » 94

L'érythème fessier 95

Les gestes interdits 97

Manier le coton-tige…
pour nettoyer les oreilles 97

« Secouer » le bébé 97

Placer un collier autour du cou 98

Pieds, jambes et hanches 99

Les déformations les plus fréquentes 99

Comment et quand chausser ces petons ? 100

Les jambes..101

Les hanches..101

Le portage ventral..103

Le portage dorsal 103

Une peau de bébé ! 105

Particularités physiologiques 105

Les soins d'hygiène cutanée du nourrisson 105

Le nævus pigmentaire congénital 106

Les hémangiomes infantiles 108

Les angiomes plans 109
L'eczéma 109

Le zizi 115

À la maternité 115

Quant à vous… 115

Par contre, c'est au médecin… 116

Et le décalottage ? 116

Les premières dents 119

La première dent : vers 6 mois 119

Est-ce qu'on peut détecter la percée dentaire ? ... 119

Les signes qui accompagnent la percée dentaire ... 120

Le traitement 121

Parfois, l'ordre des choses est bouleversé 121

Les modes de garde 123

La crèche 124

L'assistante maternelle agréée 125

La grand-mère 126

La halte-garderie 127

Les vaccins 129

À l'âge de 2 mois, ça commence ! 129

À 1 an 129

Le BCG 130

La vaccination contre la varicelle 132

La vaccination anti-gastro-entérite à rotavirus..................132

Les troubles du sommeil...........................135

De l'influence des parents…...135

Les difficultés d'endormissement......................................136

Les réveils nocturnes...137

L'état des lieux…...138

Comment éviter les troubles du sommeil 138

La diversification alimentaire 143

Quand commencer ? 143

Comment démarrer ? 144

Le programme de 4 à 12 mois...145

Conseils pratiques..145

Cuisine maison ou petits pots ? 146

Risque allergique ? 148

Les maladies «obligatoires».....................151

Les incidents ORL (otorhinolaryngologiques) 152

Complications possibles 153

Le traitement 153

La roséole 154

La fièvre 155

Les autres incidents infectieux «possibles» 161

La bronchiolite...161

La gastro-entérite 164

La varicelle 169

Les étapes clés du développement et les conseils qui vont avec! 171

Jusqu'à 1 mois et demi à 2 mois.................................. 171

De 2 à 5 mois, la période bénie des dieux! 171

À 5 mois, il sait se retourner sur le ventre 172

Vers 5-6 mois, on sent que ça change 172

À 6 mois et demi, il tient assis seul 173

De 7 à 9 mois, les étapes s'accélèrent 174

De 10 à 12 mois : l'enfant grimpeur 176

Il marche!... 176

Le baby-trotteur 179

Le baby-trotteur : c'est bien ? 179

Pour la mère, cela n'est pas mal non plus.......................... 180

Est-ce que cela déforme les jambes ? 180

Quand lui offrir cette première voiture ?........................... 180

Les premiers tours de piste 180

Combien de temps les séances ? 181

Quelques conseils 181

Un enfant, ça «pompe» énormément! 183

Que faire alors ? 184

Est-ce qu'il «pousse» bien, mon bébé? 187

Ce que vous apprend l'étude de sa courbe de croissance 188

La surveillance des courbes de croissance
de l'enfant est importante 190

Pour finir 191

Déplacements et vacances avec bébé........193

Le voyage 193

Dans la chaleur de l'été 195

Le soleil..198

Le séjour à la mer...198

Les problèmes cutanés liés à la chaleur..............................199

Le «coup de chaleur»...200

Dans le froid de l'hiver 201

Un jour… 203

Index...205

MARABOUT
s'engage pour l'environnement
en réduisant l'empreinte carbone
de ses livres.
Celle de cet exemplaire est de :
200 g éq. CO_2
Rendez-vous sur
www.marabout-durable.fr

PAPIER À BASE DE
FIBRES RECYCLÉES

Imprimé en Allemagne par GGP MEDIA GMBH
pour le compte des Editions Marabout (Hachette Livre)
43, quai de Grenelle 75905 Paris Cedex 15
Achevé d'imprimer en juillet 2014
Dépôt légal : septembre 2014
ISBN : 978-2-501-08930-2
4134748